INTRA-MUROS

Catalogage avant publication de Bibliothèque et Archives nationales du Québec et Bibliothèque et Archives Canada

Laflamme, Sonia K.

Intra-muros

(Collection Atout; 126. Policier)
Pour les jeunes de 13 ans et plus.

ISBN 978-2-89647-160-7

I. Titre. II. Collection: Atout; 126. III. Collection: Atout. Policier.

PS8573.A351I57 2009   jC843'.6   C2009-940318-8
PS9573.A351I57 2009

Les Éditions Hurtubise bénéficient du soutien financier des institutions suivantes pour leurs activités d'édition:

– Conseil des Arts du Canada;
– Gouvernement du Canada par l'entremise du Programme d'aide au développement de l'industrie de l'édition (PADIÉ);
– Société de développement des entreprises culturelles du Québec (SODEC);
– Gouvernement du Québec par l'entremise du programme de crédit d'impôt pour l'édition de livres.

Éditrice jeunesse: Sonia Fontaine
Conception graphique: Mance Lanctôt
Illustration de la couverture: Carl Pelletier (Polygone Studio)
Mise en page: Martel en-tête

Copyright © 2009
Éditions Hurtubise ltée

ISBN 978-2-89647-160-7

Dépôt légal/1er trimestre 2009
Bibliothèque et Archives nationales du Québec
Bibliothèque et Archives du Canada

Diffusion-distribution au Canada:
Distribution HMH
1815, avenue De Lorimier,
Montréal (Qc) H2K 3W6
Téléphone: (514) 523-1523
Télécopieur: (514) 523-9969

Diffusion-distribution en Europe:
Librairie du Québec/DNM
30, rue Gay-Lussac
75005 Paris FRANCE
www.librairieduquebec.fr

Imprimé au Canada
www.hurtubisehmh.com

SONIA K. LAFLAMME

INTRA-MUROS

SONIA K. LAFLAMME

Sonia K. Laflamme est originaire de Saint-Romuald, où elle a passé une grande partie de son enfance. Très tôt, elle développe un goût marqué pour différentes formes d'art comme le dessin, la danse et, bien sûr, l'écriture. Après des études en criminologie et en anthropologie à Montréal, où elle s'installe définitivement, elle se spécialise en prévention de la violence en milieu scolaire. Mais sa vieille passion pour les histoires revient la visiter et, au début des années 2000, elle se lance dans la grande aventure du roman pour la jeunesse. Depuis, elle a publié une quinzaine d'ouvrages de fiction pour les enfants et les adolescents. Elle affectionne tout particulièrement la littérature de genre comme le fantastique, la science-fiction, le policier et la fantasy.

1

LA VISITE DU *FANTÔME*

Vendredi 14 avril…

Anita Cohen couvait Vincent et Arielle du regard. Chaque matin, elle se postait dans l'entrebâillement de la porte du séjour pour admirer en catimini la beauté des deux êtres qui, depuis leur adoption cinq ans plus tôt, ensoleillaient sa vie de retraitée. Malgré le temps qui s'égrenait, elle prenait toujours autant de plaisir à contempler leur port altier ainsi que l'image parfaite qu'ils projetaient, et qu'une arrivée trop brusque risquait d'affecter. Sa contemplation benoîte dura de longues secondes. Elle finit par lever le bras et repoussa la porte avec précaution. Dès que ses talons claquèrent sur les larges carreaux de marbre du hall, les deux lévriers afghans quittèrent leur immobilité muette et l'accueillirent par une gamme de jappements joyeux. La vieille dame caressa la soyeuse crinière blonde des deux magnifiques bêtes.

— Oh les beaux bébés ! s'exclama-t-elle d'une voix de crécelle. Que diriez-vous d'une petite promenade ?

Vincent agita la queue en guise de réponse, tandis qu'Arielle lapait la main droite de sa maîtresse. Ils promenèrent leur truffe humide sur le chambranle de la porte.

— Alors en route! reprit madame Cohen avec un enthousiasme niais.

Tout en poursuivant son soliloque, elle attrapa les laisses, les passa autour du col des deux chiens, enfila une veste, et ils sortirent ensemble dans les premières lueurs du jour.

Le sommeil régnait encore derrière les volets clos des grandes villas de la rue des Amarantes. La rosée perlait sur l'herbe rase des parterres. La cime des pruches frémissait sous la brise fraîche qui soufflait au loin les sombres nuages. Après deux semaines complètes de pluie et de temps gris, la promesse d'une splendide journée surgissait enfin. Le retour du printemps fleurait bon dans l'air matinal. Ici et là, les oiseaux gazouillaient gaiement pour saluer la saison des amours.

Vincent et Arielle louvoyèrent jusqu'au parc, suivis de madame Cohen qui trottinait derrière eux. Elle les relâcha et les deux lévriers s'amusèrent à qui mieux mieux, enivrés par cette soudaine apparence de liberté. La vieille dame observa la ramure des hauts ormes qui s'enjolivait peu à peu de feuilles ovales et dentées. Les cerisiers japonais commençaient à s'épanouir. Les arbres verdissaient à un tel rythme que l'on ne voyait déjà plus l'affreuse tour à l'architecture futuriste de la Banque de Shanghai, située à trois kilomètres de là.

Le dernier indice de la présence de la Cité, tapageuse et licencieuse, venait de fondre dans l'oubli. Bien qu'éphémère, cette disparition fit sourire la femme. Elle s'assit sur un banc, respira l'air frais à grandes goulées et vida son esprit.

Au-delà du quartier Côté Soleil, plus rien n'existait. Son époux et elle avaient fait le bon choix en s'installant, deux ans plus tôt, dans ce quartier cossu. Couler les jours d'une retraite bien méritée, dans un endroit aussi merveilleux, représentait le rêve d'une vie.

Elle sortit d'un sac de plastique des bouts de pain rassis qu'elle lança aux pigeons. Les volatiles ne tardèrent pas à l'encercler. Ils picorèrent la moindre miette avec une rare avidité. Sur un claquement sec de la langue, elle rappela Vincent et Arielle. Ils accoururent aussitôt, obéissants et heureux de l'être. Ils repérèrent leur arbre préféré et, après avoir reniflé l'écorce, les racines et l'herbe, ils déféquèrent en regardant fixement le ciel à travers le feuillage. Madame Cohen ramassa les excréments et les fourra dans son sac de plastique, puis elle déposa le tout dans une grande corbeille.

Au sortir du parc, elle aperçut la Land Rover noire d'Adrian McCormick remonter la rue des Magnolias. Le véhicule marqua un arrêt de trois secondes à l'intersection. Malgré l'absence complète de trafic à cette heure matinale, le conducteur vérifia de tous les côtés avant d'engager son utilitaire sport qui disparut au tournant de la rue suivante. Une fois de plus, Anita Cohen sourit. Ce genre de petites attentions en apparence anodine la réconfortait. Elle se félicitait d'avoir des voisins exemplaires. Nulle part ailleurs, dans cette fichue Cité pervertie, bariolée de néons vulgaires, aux rues regorgeant de mendiants, de jeunes prostitués ou encore de revendeurs de drogue, elle ne pouvait aspirer à croiser des gens aussi bien élevés et respectueux des codes et des lois.

Reportant le regard sur ses compagnons canins, elle remarqua qu'un pan de rideau voletait, à l'une des fenêtres du premier étage de la résidence des Martin.

— Tiens! ne put-elle s'empêcher de dire tout haut, avec un rictus de mépris. Déjà debout, celle-là!

La vieille dame tourna les talons en relevant un peu plus haut le menton. Le soleil continua son ascension dans le ciel désormais d'un intense bleu de myosotis. Le retour du beau temps lui inspira soudain l'envie d'une première séance de jardinage. Elle rentra chez elle d'un pas pressé.

Charel Martin repoussa les rideaux d'un geste ample. Les bras ouverts, elle s'étira en se cambrant, la tête renversée. Ses lèvres s'entrouvrirent pour expulser un long bâillement. Son regard ensommeillé balaya le parc avant de tomber sur Anita Cohen et ses deux inséparables lévriers afghans. L'adolescente secoua la tête avec un certain amusement. Elle n'en revenait pas de voir à quel point le petit bout de femme de soixante-quinze ans réussissait à les maintenir en laisse sans tomber.

La jeune fille se retourna. Elle soupira devant le désordre de sa chambre. Elle s'habilla en vitesse et sortit de la pièce, décidée à faire le ménage une fois revenue de l'école. Elle débarla l'escalier et rejoignit son frère Benjamin dans la cuisine. Le garçon mangeait des toasts à la confiture tout en lisant *Les Fourmis*, de Bernard Werber. Charel se versa un grand verre de jus de mangue.

— T'as vu? lui demanda-t-il sans lever les yeux de son roman.

— Vu quoi?

Il montra du doigt la porte-fenêtre du jardin. Charel fit un pas vers la table, lui piqua son dernier toast, puis se planta devant la large baie qui donnait sur le parterre et la piscine. Elle faillit s'étrangler en engloutissant deux bouchées.

— Fudge! lâcha-t-elle en plissant le front. Pas encore...

— Tu serais gentille de bien vouloir me rendre mon petit déjeuner, s'il te plaît.

— Est-ce que papa est au courant?

— D'après toi! répliqua Benjamin d'un ton affecté. Si c'était le cas, on l'aurait entendu gueuler même si nos chambres avaient été des cages de Faraday!

Charel regagna le comptoir de la cuisine. D'un air soucieux, elle fit griller du pain qu'elle tendit ensuite à son frère. Elle s'assit sur un tabouret, l'air perplexe.

Que se passait-il? Le petit manège se produisait une ou deux fois par semaine depuis près de deux mois. Elle redoutait la réaction de son père. L'homme avait l'impatience et la colère à fleur de peau. Cette mascarade à première vue insignifiante compromettait la qualité de son travail. Elle risquait même de ternir sa réputation. Dire que Robert Martin n'avait pas la moindre idée de celui qui prenait un malin plaisir à le faire tourner en bourrique! Le système de sécurité de Côté Soleil, prétendûment impénétrable, semblait n'avoir aucun secret pour le *Fantôme*, comme le surnommait Benjamin à l'insu de son paternel. Et c'est bien ce qui l'embêtait le plus.

Éva, la mère des deux adolescents, entra d'un pas traînant dans la cuisine, le journal du matin plié sous le bras. Les yeux à demi ouverts, elle les embrassa sur le front en les saluant d'une voix endormie. Elle posa le journal sur la table, l'ouvrit à la rubrique

«Technologies et informatique», puis prépara deux cafés espressos. Son pyjama trop grand pour elle, ses pantoufles ornées de têtes de lapin et sa tignasse auburn en bataille lui conféraient un air clownesque. Ainsi accoutrée, on ne lui donnait pas quarante-deux ans. On aurait encore moins juré qu'elle dirigeait d'une main de fer le collège privé le plus élitiste du Pays. L'esprit voguant toujours entre deux eaux, elle mit le lait à chauffer.

— Combien tu m'as demandé déjà, Chachou, pour ta soirée de demain?

L'adolescente décocha un regard inquiet à Benjamin. Les deux jeunes se demandaient à quel moment leur mère se rendrait compte de l'état du jardin.

— J'ai quand même du mal à croire que tu ne trouves rien de bien ou de pas trop démodé dans ta penderie! s'exclama la femme tandis qu'elle versait le lait chaud dans les espressos.

— Telle mère, telle fille! décréta le fils d'un air moqueur.

Les deux femmes se lancèrent une œillade surprise avant de sourire.

— Bon, ça va, souffla-t-elle en s'assoyant près de ses enfants. Je te donnerai de l'argent en revenant de l'école.

Charel la remercia d'un baiser sur la joue. La mère saupoudra de cacao la robe de lait mousseux qui garnissait les deux tasses. Elle but une gorgée de café. Le carburant coula dans ses veines et commença à produire l'effet désiré. Ses yeux s'ouvrirent enfin.

— Et si on t'offrait une carte de crédit ? On te fait confiance, tu sais, ma grande. Tu aurais l'impression d'être plus autonome. Qu'en dis-tu ?

La plupart des camarades de classe de Charel possédaient leur propre carte *Or*. Ils géraient ainsi l'argent de poche que leurs parents leur octroyaient chaque mois, sans avoir de comptes à rendre à personne. L'adolescente sauta presque de joie. Mais l'arrivée de son père la replongea dans l'inquiétude.

Se doutait-il de quelque chose ? Son instinct de persécuté s'était-il, lui aussi, éveillé au saut du lit ? Sans aucun doute, puisque Robert Martin marcha droit vers la porte-fenêtre du jardin, levant ainsi le nez sur la tasse de café de même que sur le journal que son épouse lui tendait avec amour. Sa réaction ne se fit pas attendre. Son visage s'empourpra, accentuant la blancheur de quelques mèches de cheveux qui garnissaient ses tempes.

— Sacré nom d'un chien ! Ça va pas recommencer !

Il ouvrit la porte-fenêtre d'un geste brusque et sortit de la maison. Le clan Martin se leva et lui emboîta le pas avec prudence. Sur le patio dominant le jardin, Charel, Benjamin et Éva regardaient, abasourdis, le désolant spectacle.

Tel un maxillaire inférieur agité par les spasmes d'un rire incontrôlable, la porte béante de la remise ballottait au vent. Les huit chaises de parterre empilées une par-dessus l'autre d'une manière désordonnée créaient une haute sculpture précaire au sommet de laquelle trônait, comme par magie, la table ovale. L'étrange création artistique tanguait, menaçant de s'écrouler.

Charel secoua la tête. Comme toujours, il n'y avait aucune trace de vandalisme, pas de graffiti, ni rien du tout. Non. À première vue, les arrangements inusités dont ils étaient victimes auraient pu les faire rire, voire sourire. Pourtant, cette violation de leur intimité les inquiétait au plus haut point. Surtout Robert Martin. Lui qui devait assurer la sécurité du quartier privé, il n'arrivait même pas à contrôler ce qui se passait chez lui, sous son propre nez, au cours de la nuit! Sa crédibilité en prenait pour son rhume.

Les poings serrés, l'homme pivota sur lui-même sans croire ce qu'il voyait. Son esprit ne pouvait pas admettre l'évidence. Quelqu'un, quelque part, se moquait de lui. Il avait sa petite idée sur l'identité du coupable. Hélas! il ne détenait aucune preuve tangible pour le dénoncer ni pour l'envoyer croupir à l'ombre. Son impuissance et sa vulnérabilité émurent sa fille qui, maintenant à ses côtés, tentait de le consoler de sa seule présence silencieuse.

La sonnerie du téléphone retentit dans la cuisine. Éva fit volte-face, rentra dans la maison et se jeta sur l'appareil. Après les paroles de salutation d'usage, son visage se couvrit d'ombre.

— Oui… Bien sûr, monsieur Kapoor… Oui, je le lui dis tout de suite… Merci, au revoir.

Elle raccrocha, l'air encore plus soucieux. Sa bouche se crispa, sa poitrine se souleva et elle soupira péniblement. Elle aurait donné n'importe quoi pour ne pas accomplir la tâche qu'elle venait d'accepter. Son époux allait se mettre dans une colère terrible. Les victimes du petit jeu du *Fantôme* se multipliaient. Elles s'élevaient désormais au nombre de sept, et Éva se demandait si son époux réussirait une fois de plus à calmer les habitants de la communauté.

— Robert, prononça-t-elle d'une voix brisée lorsqu'elle fut de nouveau sur le patio. Les Kapoor…

Il lui réserva un regard méprisant, hautain. Un regard qui tuait les passions et les moindres espoirs.

— Quoi, les Kapoor ? Tu vois bien que j'ai des choses plus urgentes à régler !

— C'est que…

— Merde, Éva ! Laisse-moi tranquille ! J'en ai rien à foutre des disputes de clôture des Kapoor ! J'ai besoin de réfléchir !

La femme baissa la tête une fraction de seconde. Ses prunelles se durcirent, devinrent aussi froides que le roc. Elle avait beau combler son époux d'attentions particulières ou prendre des gants blancs, il ne s'apercevait de rien. Il ne la voyait plus, elle, sa femme depuis vingt ans, il ne voyait plus sa beauté. Il n'avait d'yeux que pour les responsabilités professionnelles qui s'accumulaient. Avec les années, Éva avait fini par se fondre dans le décor : les murs, les boiseries, les parquets, et même dans le garde-manger. Il ne faisait pas plus attention à elle qu'à un meuble ou un bibelot. Combien de fois avait-elle tenté de donner une dernière chance à leur couple à la dérive ? Un goût amer envahit sa bouche.

Ensemble… Il fallait naviguer ensemble pour créer ou reproduire une chimie, une harmonie, pour former un équipage. Il ne fallait pourtant que la volonté ou l'insouciance d'un seul pour que les deux s'abîment sur les récifs. Elle le savait. Nager à contre-courant l'essoufflait de plus en plus. Et lui, il devenait trop lourd à touer. Épuisée, ne pouvant plus souffrir que son mari l'ignore, elle se redressa, soudain indifférente à la portée des mots sur le point d'être lâchés.

— Robert ! insista-t-elle d'une voix affermie. Les Kapoor ont eux aussi reçu la visite du *Fantôme*.

Les mots flottèrent un instant dans l'espace qui les séparait. Pour la première fois depuis des lustres, elle eut la véritable impression qu'il la regardait, qu'il la considérait. Mais c'était pour mieux la rejeter.

— Pourquoi ne me l'as-tu pas dit plus tôt… !

Sa phrase demeura en suspens. Sa bouche se crispa. Quels mots, quelles insultes retenaient ses lèvres ? En était-il rendu là ? À mépriser le messager ? À oublier les souvenirs pourtant heureux de leurs belles années pas si lointaines ? À faire fi de la présence de leurs enfants ?

Éva Martin recula afin de ne pas endiguer l'élan impétueux de son époux. Benjamin tourna la tête de côté. Son petit sourire narquois n'échappa pas à sa sœur. Tout comme sa mère, lui aussi éprouvait du ressentiment vis-à-vis de Robert Martin. Ce qui contrariait son père mettait toujours un baume sur son âme d'adolescent rebelle à l'autorité.

Le clan Martin revint dans la cuisine.

— Qu'est-ce qui se passe, maman ?

— Je ne sais pas, ma Chachou, répondit la femme dont le regard fuyait et cherchait quelque chose de solide, de permanent auquel s'accrocher. Quelqu'un a dû trouver une faille dans le système de sécurité. Ton père va trouver la solution. Ne t'inquiète pas.

Je parlais pas de ça, pensa Charel sans oser reformuler sa question.

L'adolescente se préoccupait bien plus de l'indifférence grandissante que se témoignaient ses parents, au cours des derniers mois, que des agissements, somme toute divertissants et artistiques, du *Fantôme*. Et de le dire ou encore de le supposer à voix haute, par une question précise, ou même avec des mots approximatifs, rendaient la chose d'un réalisme trop cru. Trop cruel. Pour elle, en tout cas.

Robert Martin fila en coup de vent. Lorsque la porte d'entrée claqua, Éva sut que sa vie de couple venait de prendre fin. Elle renifla, secoua la tête et décida de ne pas se laisser abattre par celui qui minait son existence.

La maisonnée s'activa. Un quart d'heure plus tard, Éva Martin et ses enfants s'engouffrèrent dans la BMW familiale. La voiture roula dans les rues qui s'éveillaient peu à peu et passa devant Robert Martin qui s'entretenait avec monsieur Kapoor, un petit homme d'origine indienne enturbanné et au teint basané. Les deux hommes semblaient discuter ferme. Quelques voisins sortirent sous le porche de leur maison, intrigués par cette animation matinale.

Benjamin lorgna du côté de sa mère. Plutôt que de ralentir, celle-ci enfonça un peu plus l'accélérateur et franchit la limite de vitesse fixée à 40 kilomètres à l'heure. La voiture arriva bientôt à la guérite principale. Là seulement, Éva décéléra. La vitre électrique du côté conducteur glissa en ronronnant. L'éclat vif du jour contrasta avec son pâle reflet, qu'elle aperçut dans le miroir. Prisonnière de l'habitacle de son véhicule comme de sa vie maritale, elle poussa un triste soupir. Elle remonta la monture en bakélite de ses lunettes sur l'arête fine de son nez. Deux gardiens de sécurité s'approchèrent.

— Bonjour, madame Martin! la salua le premier.

— Veuillez vous identifier, s'il vous plaît, dit l'autre en tendant vers elle un lecteur d'empreintes.

La femme obtempéra et se plia au contrôle de sécurité. Elle posa sa main manucurée sur l'écran tactile. Ses deux enfants en firent autant. Un voyant vert clignota alors et Benjamin, tout en grommelant, replongea dans la lecture des *Fourmis*. Au-delà du pare-chocs, les lourdes grilles de Côté Soleil s'entrouvrirent. Pour pénétrer dans la forteresse ou pour en sortir, les résidants devaient s'astreindre à ce rituel d'identification qui leur assurait la tranquillité d'esprit. Même la visite d'amis devait être annoncée plusieurs heures à l'avance afin d'être approuvée par le comité de sécurité. Les fouilles n'étaient pas rares.

La voiture quitta le quartier hyper sécurisé pour s'engager dans l'avenue bordant leur univers douillet. À quelques pâtés de maisons, s'élevaient des édifices condamnés ou mal restaurés, véritables taudis sur le point de tomber en ruine. Travailleurs illégaux, mendiants, toxicomanes, criminels recherchés et gens de petite vertu y squattaient sans s'inquiéter de la présence des policiers qui redoutaient le quartier défavorisé réputé pour être le plus mal famé, le plus pauvre de tout le Pays. En ressortir vivant relevait du miracle. Aussi fermaient-ils les yeux sur les nombreuses piqueries, maisons de passes et autres lieux de trafics qui y prospéraient comme la peste noire. Ils les laissaient s'entredétruire, s'entretuer. *Ça coûte moins cher à la société*, pensaient-ils.

Comme chaque jour, Charel revérifia le verrouillage de sa portière. Du coin de l'œil, elle regardait défiler les trottoirs bondés de corps endormis. Elle repensa au *Fantôme* et se demanda s'il s'agissait de l'une de ces loques humaines qui tapissaient en si grand nombre le paysage urbain.

Rosa Navarro faisait le pied de grue devant l'entrée du Grand Collège d'études internationales, l'air un tantinet outré. Non loin se trouvait un groupe de filles qui jacassaient de potins hollywoodiens, se vantaient du coût astronomique de leurs dernières paires de chaussures ou de leurs gadgets dernier cri, échafaudaient des tractations de toutes sortes afin de damer le pion à leurs rivales. Rosa ne souhaitait qu'une chose : que la cloche sonne pour qu'elle n'entende plus ces *précieuses ridicules*, comme elle avait pris l'habitude de les surnommer.

La jeune fille, probablement la plus riche du collège, affichait une complète indifférence aux vêtements griffés, aux cartes de crédit, à l'étalage de la richesse. Alors que l'ensemble des élèves du collège rêvait d'emménager dans le prestigieux quartier Côté Soleil, elle, elle s'y sentait prisonnière. Elle allait même jusqu'à contester publiquement son existence en prétendant qu'il s'agissait là d'une forme déguisée de ghetto.

Étourdie par le bavardage incessant, elle s'éloigna et rêva au projet qu'elle caressait depuis quelques mois. Son séjour au Guatemala, pour y travailler bénévolement dans un orphelinat de Quetzaltenango, ville coloniale encaissée entre deux volcans, occupait toutes ses pensées. Elle partirait dès l'année scolaire terminée, dans quelques semaines seulement. Et il restait encore beaucoup de choses à prévoir et aussi des vaccins à recevoir. Elle se demandait si Charel Martin accepterait de l'accompagner.

À quelques mètres de là, dans le stationnement, Éva Martin descendit de voiture. La chevelure relevée en un chignon parfait, engoncée dans un tailleur Prince de Galles, elle salua ses enfants et marcha d'un pas rapide vers le collège.

Benjamin abandonna sa lecture pour aborder un groupe de camarades de classe. Charel passa devant Rosa Navarro en lui lançant un très discret signe de tête en guise de salut avant de retrouver sa meilleure amie, Christine Lambert, la reine des *précieuses ridicules*.

— Enfin te voilà! s'exclama celle-ci.

Elle attrapa Charel par le bras et l'attira au cœur de la cohue. Elle poursuivit ses jacassements à la volée. Autour d'elle, on l'écoutait sans l'interrompre, on l'adulait, comme si ce qu'elle disait relevait de la plus haute importance. Pourtant, Charel ne put s'empêcher de détourner la tête lorsque Daniel Cohen, un beau garçon de dix-sept ans arborant une abondante chevelure de jais, s'amena dans leur direction. Il repoussa doucement la bande et plongea son regard acier dans celui, noisette, de Charel. Son nez aquilin touchait presque celui, un peu retroussé, de l'adolescente. La soudaine proximité la fit rougir. Des papillons voletèrent dans son estomac.

— Salut! Ça marche toujours pour demain soir?

— Oui, bégaya-t-elle malgré elle. Bien sûr...

— Alors j'ai hâte!

Il la gratifia d'un clin d'œil et d'un petit baiser sur la joue avant de disparaître en coup de vent. Les *précieuses ridicules* émirent de longs soupirs d'envie.

— Ne me dis pas que tu ne viendras pas à ma soirée! lui reprocha Christine, déçue.

— C'est que... eh bien... j'ai pensé que je pouvais inviter Daniel... et peut-être... Rosa...

— Quoi? La Navarro! Beurk! fit-elle, imitée par les autres adolescentes qui singèrent ses mimiques théâtrales. Elle est tellement rabat-joie! Ça vient sûrement de son père. Je me demande pourquoi tu t'es mise à la défendre, depuis un an...

Charel haussa les épaules.

— Elle est souvent toute seule... Je trouve ça triste, c'est tout.

— Dis-toi bien une chose, rétorqua Christine d'une voix sèche qui n'admettait aucune réplique. On récolte ce que l'on sème. Va pour Daniel, mais pas pour la fille du pasteur!

Les joues toujours empourprées et les yeux tournés vers le sol, Charel esquissa une petite grimace d'embarras.

2

L'ATTENTE DU BAISER

Samedi 15 avril...

Daniel. Tout près d'elle. Elle sentait son souffle effleurer la peau moite de son cou. Autour d'eux, la fête battait son plein. Plusieurs jeunes se déhanchaient, au beau milieu du salon, au rythme d'une musique assourdissante. Pourtant, eux, ils ne bougeaient pas. Ils se contentaient de se dévisager avec une intensité à faire fondre les banquises polaires. Il la tenait dans ses bras ; elle avait posé ses mains sur sa poitrine. Il s'inclina vers elle et la tête de Charel bascula vers l'arrière. Leurs lèvres s'entrouvrirent, leurs paupières s'abaissèrent. Elle retint sa respiration. Enfin ! Leur premier baiser...

Charel fut tirée de son sommeil par son frère cadet. Dans la pénombre de la chambre, il se dandinait d'une jambe à l'autre. Elle s'étira langoureusement en bâillant.

— Qu'est-ce que tu me veux ? demanda-t-elle d'une voix pâteuse. Je dormais, là...

— Téléphone. Christine veut te parler.

— Il est quelle heure au juste ?

— L'heure de te lever...

L'adolescente s'assit dans son lit. Elle tourna la tête vers le réveille-matin. Pas encore huit heures. Christine Lambert exagérait. Elle tendit la main et Benjamin fourra dans sa paume le combiné du téléphone sans fil. Il repartit aussitôt, ses talons nus résonnant sourdement sur la moquette du corridor.

— T'as vu l'heure! s'insurgea-t-elle en s'adressant à son amie.

— Il faut que tu viennes tout de suite, Chacha. J'ai besoin de toi!

— Pour quoi faire? Je dormais, fudge! J'en ai eu jusqu'à minuit hier soir à faire le ménage de ma chambre…

— J'ai besoin de toi, répéta la voix à l'autre bout du fil.

La communication se rompit. Charel grimaça. Elle regarda son oreiller avec envie, puis toisa la porte de sa chambre. Résignée, elle soupira et se leva.

Dans la douche, elle laissa l'eau froide couler sur son visage. Son esprit encore éperdu par les rêves de la nuit continuait de lui envoyer des images du beau Daniel Cohen. Elle coupa le jet et s'épongea à l'aide d'une épaisse serviette. Elle turluta une chanson tout en s'enduisant de crème hydratante, insistant sur les épaules, là où, chaque saison froide, proliféraient de minuscules plaques d'eczéma.

Elle se retourna pour attraper son peignoir quand son reflet surgit dans la glace. Au bout de ses longs cheveux, plaqués sur son corps nu, perlaient des gouttelettes qui s'écrasaient sur la céramique. Elle se dévisagea, soudain immobile et silencieuse. Un brin soucieuse, aussi. Comme si elle essayait de percer le mystère de ses propres pensées. Comme si l'image qu'elle projetait lui paraissait nouvelle. Ou différente. Ou vieille. Oui, c'était ça. Vieille. Trop vieille. Pas en âge, non; plutôt en souvenirs. De mauvais souvenirs. Du genre de ceux qu'on aimerait oublier, effacer. De ceux qui torturent l'âme, qui génèrent des sentiments douteux, qui empoisonnent la vie. De ceux qu'il faut à tout prix apprendre à purger.

Changer de peau, à la manière des serpents. Repartir à zéro. Elle le souhaitait tant. Elle avait trop souffert en silence. Elle n'en avait même pas soufflé mot à Christine, son inséparable qui croyait connaître sa meilleure amie sur le bout des doigts. Depuis un an, elle faisait des efforts considérables pour ne rien laisser paraître. Avec le temps, les choses se tassaient peu à peu. Ses notes scolaires reprenaient du poil de la bête. Elle se surprenait parfois à ne pas penser au passé pendant des jours entiers. L'arrivée impromptue de Daniel chez ses grands-parents, trois mois plus tôt, lui avait redonné espoir. Grâce à lui, elle avait recommencé à sourire, à croire au véritable amour. Pourtant, certains matins, lorsqu'elle se voyait ainsi, nue et fragile, la peur revenait l'habiter. La peur qu'il soit exactement comme l'Autre.

— Non, murmura-t-elle avec conviction. Il est différent.

Elle tourna le dos au miroir, à ses craintes et à sa honte pour revenir dans sa chambre et s'habiller.

Vingt minutes plus tard, elle mit le cap sur la résidence des Lambert. En route, elle fut cependant interceptée par Rosa Navarro qui l'invita chez elle.

— Je suis désolée, Rosa. Je suis pressée.

— Quelques minutes seulement. Je voudrais te parler d'un projet. S'il te plaît.

Devant la triste moue de sa voisine, Charel céda et entra chez les Navarro.

Dès que la porte s'ouvrit, les éclats de voix des sept enfants de la maisonnée retentirent d'un coup. Charel recula presque d'un pas devant cet assaut sonore. Le pasteur Joaquín Navarro apparut au même moment dans le hall, armé d'un sourire éclatant. Chaque fois, elle en restait saisie. L'homme était toujours impeccablement vêtu: complet de tweed, cravate de soie, montre en or, escarpins de cuir verni. Un parfum de musc l'enveloppait, un léger maquillage recouvrait ses traits, sa chevelure de jais, enduite de gomina, brillait comme le manteau lustré d'un corbeau. À croire que le réalisateur de l'émission *Un dimanche avec Dieu* l'attendait sur le plateau de tournage dans la minute suivante.

— Vous tombez bien, toutes les deux ! s'exclama le télévangéliste. Venez par ici, j'ai besoin de votre avis…

Rosa voulut rouspéter, mais son père les poussait déjà dans son bureau. Il les obligea à s'asseoir et se planta ensuite devant elles. Malgré la porte refermée, les voix des enfants continuaient de fuser dans la grande demeure. Le pasteur brandit alors un doigt menaçant sous le nez des deux adolescentes.

— Qu'est-ce que vous croyez ? Que personne ne sait ? Que personne ne saura jamais ?

À mesure que l'homme lançait son index accusateur dans leur direction, Charel et Rosa s'enfonçaient un peu plus dans leur fauteuil. La violence d'un décollage de navette spatiale et la force d'attraction que cela impliquait ne devaient être guère bien différentes.

— Que cachez-vous ? poursuivit le prédicateur avec une énergie décuplée. Rien ? En êtes-vous bien certaines ?

Charel et Rosa déglutirent. Sans qu'elles s'en rendent compte, leurs mains se refermèrent sur les accoudoirs des fauteuils, leurs ongles pénétrèrent dans le cuir souple. Un malaise profond se mit à croître en elles.

— Vous vous pensez parfaites, sans reproches, car matin et soir, vous priez. Et cela vous semble suffisant pour éponger vos fautes. Parce que vous vous croyez au-dessus du jugement des autres, alors vous vous permettez de les juger. Avec véhémence. Avec intransigeance. Avec sévérité. Vous voyez la paille dans l'œil du voisin, mais vous oubliez la poutre qui se trouve dans le vôtre!

Tétanisée, Charel écoutait, les yeux agrandis, le cœur comprimé. Rosa avait-elle parlé? Sa voisine avait-elle osé révéler son secret? Le pasteur était-il en train de l'exhorter à confesser ses vieux péchés? Elle eut presque envie de pleurer.

— Chaque fois que vous jugez les autres, alors vous laissez le démon subordonner votre cœur et votre âme. Oui, mes sœurs! Voilà pourquoi tant de gens parmi nous sont faibles ou malades, voilà pourquoi d'autres se sont assoupis. Mais si vous vous jugez vous-mêmes aussi sévèrement que vous le faites des autres, alors n'ayez rien à craindre du jugement de Dieu!

La porte de la pièce s'entrouvrit. La voix de Joaquín Navarro tonna, plus forte que tout, plus forte que celle de Dieu, peut-être. Sa bouche répandait un flot de paroles qui trituraient l'esprit vulnérable de Charel.

— Vous exigez que l'on vous juge avec justice et impartialité? Alors qu'attendez-vous pour agir de même avec vos sœurs et vos frères? Que celui qui n'a jamais péché lance la première pierre! Que celui-là se lève!

— Chéri! Qu'est-ce que tu fais?

Charel tourna la tête. Pilar Navarro, une magnifique Mexicaine aux formes généreuses, drapée d'une blouse de soie fuchsia et d'une jupe droite, perchée sur des talons étroits, se détacha du mur orné d'une multitude de toiles représentant des scènes de piété. Tel Dieu sur le mont Sinaï, elle fustigeait son époux d'un regard dur. Un rang de perles rehaussait l'éclat hâlé de sa gorge. Sa main manucurée lissa une mèche de cheveux poivre et sel derrière son oreille.

— Tu veux bien laisser les jeunes tranquilles ! lui reprocha-t-elle.

— Je ne fais rien de mal, affirma-t-il d'une voix désormais penaude. Je teste mon sermon pour l'émission de demain...

— Tu ne vois pas que tu effraies les enfants ?

La fougue du prêche envolée, le pasteur se tourna vers sa fille et son amie. Un frisson parcourut son échine. Les yeux rougis, la lèvre tremblante, les rides au front, les doigts crispés sur les accoudoirs, les deux adolescentes ressemblaient à des souris en détresse, acculées dans un recoin, ne parvenant pas à trouver l'interstice béni par lequel elles échapperaient à la justice divine.

— Mais de quoi parle ce nouveau sermon ?

— De la responsabilité de nos gestes, tout simplement, se justifia-t-il, sans comprendre la raison de cette transfiguration inattendue.

Madame Navarro soupira à s'en fendre l'âme et donna congé aux jeunes filles qui ne se firent pas prier pour déguerpir. Lorsque la porte du bureau se referma, le télévangéliste esquissa un large sourire de satisfaction. Il devait encore peaufiner son discours mais, dans l'ensemble, tout fonctionnait à merveille. Pourvu que son fidèle auditoire soit aussi impressionnable que Charel et Rosa.

Dans l'entrée, à peine conscientes du tumulte qui régnait dans la maison, les deux camarades de collège se dévisageaient avec malaise.

— Tu l'as dit, reprit Charel à la manière d'une sentence inéluctable.

— J'ai dit quoi?

— Ne fais pas l'innocente. Tu sais de quoi je parle.

— Non, je t'assure. Je vois pas.

— Joue pas à ce jeu-là avec moi. Je te faisais confiance. Maintenant, il le dira à mes parents. Je suis perdue.

Rosa soupira. Elle savait très bien de quoi sa voisine parlait. Comment pouvait-elle l'oublier? Chaque jour depuis un an, elle priait pour le salut de son âme. Jamais elle n'avait prié avec autant de ferveur. Sans doute se croyait-elle un peu responsable, un peu complice aussi. Comme si le secret de l'autre avait fait une tache huileuse sur le canevas de son âme.

— Je vis pas dans le passé, Charel. Et tu devrais faire la même chose. J'ai rien dit à personne. Tu peux me croire. C'était qu'un sermon pour la télé. Il l'a lui-même dit.

— Juré ?

Rosa acquiesça d'un air solennel. Elle n'avait peut-être pas beaucoup d'amies, mais elle savait très bien faire la différence entre ce qui ne comptait pas et ce qui relevait de la plus haute importance. Elle n'était pas comme cette chipie de Christine Lambert qui papotait toujours de tout et de rien, des acteurs, des chanteurs, de la mode, et qui connaissait par cœur des répliques de films d'amour, sans parler des chansons fleur bleue du palmarès.

— C'est comme ça…

Rosa suspendit sa phrase. Elle se mordit la lèvre inférieure. Elle serra le poing pour se donner du courage, pour ne pas montrer qu'elle doutait d'elle, qu'elle tremblait.

— C'est comme ça… entre *amies*, non ?

Charel la dévisagea pendant un long moment, troublée par cette question inattendue qui surgissait de nulle part, sans crier gare. Rosa Navarro n'était pas une amie. Elle était spectatrice. Tout simplement, un témoin de son drame personnel, qui s'était trouvé là, un jour, par hasard. Et qui l'avait aidée, bercée, soutenue. Cela ne faisait pas d'elle une véritable amie. Pas comme Christine, en tout cas. Et pourtant, cette dernière ignorait tout…

Le regard de Rosa cillait. Une ride soucieuse barrait son front hâlé. La jeune fille perdait sa contenance, sa confiance. Le doute la rongeait de plus belle. Un léger tressautement agita la commissure de ses lèvres. Elle attendait les mots qui allaient la rassurer. Charel inspira et déclara d'un ton amorphe, aphone :

— Oui, c'est comme ça… entre amies.

Rassérénée, Rosa lui lança un sourire éclatant qui rappelait celui de son père, le pasteur. Alors elle osa lui faire part de son projet.

— Je sais que tu as prévu d'aller sur la Côte d'Azur, cet été, avec Christine, mais… je me disais que puisque tu y es déjà allée, tu aimerais peut-être m'accompagner au Guatemala.

La proposition prit Charel de court. Elle ne trouva rien à répliquer sinon un horrible mensonge :

— C'est que nos billets d'avion sont déjà achetés…

— Oh! fit Rosa. Je comprends. J'aurais dû t'en parler plus tôt. Ce sera peut-être… pour l'an prochain.

— Oui, peut-être, se contenta de répondre Charel.

Rosa n'était pas dupe. Elle voyait bien qu'une main invisible retenait l'éclosion complète de l'amitié de Charel. Sans savoir ce que c'était, elle lança toutefois à sa voisine un sourire timide.

— Pour ce soir, souffla-t-elle, je pense pas que je vais y aller. Je dois faire quelques recherches sur Internet, pour mon voyage au Guatemala…

Charel soupira d'aise. Rosa Navarro, en se désistant d'elle-même, venait de lui enlever une épine du pied. Elle n'aurait donc pas à accomplir la sale besogne de la rejeter ouvertement.

Dans sa chambre, Christine commençait à perdre patience. Elle regarda l'horloge de son ordinateur portable pour la centième fois. Ça faisait maintenant plus d'une heure qu'elle avait appelé Charel Martin. Elle aurait dû être là depuis un bon moment déjà. Que faisait-elle donc ? S'était-elle rendormie ?

Elle songea avec dépit qu'elle ne pouvait compter sur personne. Tout le monde se réjouissait de la petite fête qu'elle allait donner le soir même, mais personne ne souhaitait l'aider. Et dire qu'elle avait invité de parfaits inconnus juste pour faire plaisir à ceux qu'elle voulait avoir autour d'elle ! Finalement, ce ne serait pas sa soirée à elle, mais celle des autres ! À moins que…

Christine se figea. Se pouvait-il que… Les mots se tenaient là, sur le seuil de sa conscience. Elle secoua la tête pour les faire disparaître. Ils s'incrustaient pourtant comme s'ils voulaient qu'elle les voie, qu'elle les pense, qu'elle les prononce. Se pouvait-il que sa présence ennuyât à ce point les autres jeunes de son entourage qu'ils aient désiré qu'elle invite leurs propres amis? Se pouvait-il que ceux qui gravitaient autour d'elle ne le fissent que pour une seule raison? Que pour le prestige de la famille Lambert? Que pour l'autorité que son père exerçait sur la planète des marchés financiers? Dans ce cas, cela signifiait qu'elle, Christine, ne valait pas grand-chose, qu'elle ne représentait rien aux yeux des autres. Ou, en tout cas, pas autant qu'elle le souhaitait. Était-ce possible? Était-ce la réalité? *Non, pas Chacha, pas elle*, songea-t-elle, confuse.

Une larme perla au coin de son œil. Son poing se crispa. Elle se leva furieusement, rabattit l'écran de son ordinateur contre le clavier et décida d'aller au-devant des choses, d'en avoir le cœur net.

Elle se précipita à l'extérieur de sa chambre, dévala l'escalier, franchit le hall et surgit sous le porche. Une silhouette recroquevillée sur elle-même apparut devant elle.

— Qu'est-ce que tu faisais? demanda-t-elle à Charel, la voix faussement hautaine. Ça fait un bail que je t'attends!

Aucune réponse ne lui parvint. Agacée, elle se pencha et donna une brusque pichenette sur l'épaule de son amie. Aucune réaction non plus. L'adolescente ne bougeait plus, ne respirait plus. Elle n'existait plus.

— Chacha? prononça Christine, avec plus de force.

Alors la loque humaine tourna lentement la tête. Devant le regard vide que Charel posa sur elle, la rancune qui tenaillait Christine fondit aussitôt.

— Pour l'amour du Ciel! Qu'est-ce qui t'arrive?

Elle s'assit à ses côtés et la bombarda de questions auxquelles elle n'obtint aucune réponse. Charel demeurait silencieuse. Elle se sentait affreusement coupable envers Rosa Navarro. Pourquoi avait-elle menti? Pourquoi l'avait-elle rejetée? La fille du pasteur l'avait pourtant aidée et soutenue dans le malheur. Était-ce une façon de la remercier, de se montrer reconnaissante? Sûrement pas. Et ce n'était pas à Christine Lambert, sa meilleure amie, qu'elle pourrait ouvrir son cœur.

— Je suis fatiguée, déclara-t-elle en guise d'excuse. J'ai pas assez dormi. C'est tout.

Un autre mensonge.

— Ouf! fit Christine. Tu m'as fait peur.

Elle se leva et attrapa la main de son amie.

— Viens, maintenant! On va aller se changer les idées…

La séance d'emplettes au centre commercial se bâcla en deux heures. Christine dépensa une véritable fortune en décorations pour la fête, en cadeaux-surprises pour ses invités, en grignotines et en boissons gazeuses. Elle ne manqua pas d'offrir à sa compagne un magnifique châle turquoise, finement brodé.

Ensuite, elle traîna Charel chez le traiteur où elle se mit à tergiverser devant le choix qui s'offrait à elle. Elle posa un millier de questions, exigea de goûter à tout. Et deux fois plutôt qu'une. Elle jouait au fin connaisseur. Le commis avait l'habitude de composer avec une clientèle aisée, pour ne pas dire fantasque. Il savait très bien qu'il se trouvait devant une autre enfant de riches qui s'amusait à étaler son petit prestige aux yeux de tous. Jamais il ne fit preuve d'impatience, mais au fond de lui, il se demanda combien de temps cela prendrait pour qu'on remette cette petite m'as-tu-vu à sa place. Ce qu'il aimerait être là pour voir ça !

Assise dans un coin, Charel observait la scène sans mot dire. Plus elle regardait Christine agir, plus la colère sourdait. Et plus cette colère se revêtait d'atours insoupçonnés. Le mépris s'installait peu à peu en elle.

La cliente capricieuse passa sa commande, exigea que les plats soient livrés le jour même sur le coup de dix-huit heures, régla avec sa carte *Or* et donna enfin le signal du départ.

Une haute enceinte de pierre recouverte de lierre protégeait Côté Soleil. Afin de décourager les sauteurs à la perche trop curieux, un long fil électrique au voltage élevé courait au sommet de la muraille urbaine. Des caméras de surveillance perçaient ici et là au travers de la ramification des arbres.

Plus bas, une mendiante, qui arpentait le trottoir, y allait d'un soliloque à peine audible. Elle s'approchait de la muraille, tâtait le sol de sa godasse, jetait des regards nerveux à la ronde, s'accroupissait un peu, relevait le bas de sa longue jupe puis, à la vue d'une voiture qui passait par là, elle grimaçait, se redressait prestement, faisait quelques pas et recommençait son manège plus loin.

En ce samedi matin, le flot de la circulation s'intensifiait, et la pauvre femme ne parvint plus à trouver la tranquillité nécessaire pour se soulager. Alors elle continua à errer sur le mince ruban de béton. Elle écarta légèrement les jambes et fléchit les genoux. Sa jupe au rebord élimé balayait le sol. Elle marcha ainsi sur plusieurs mètres, l'air de rien, le regard fixé sur un point imaginaire, par-delà les gratte-ciel qui se découpaient non loin sur le ciel d'un bleu intense.

— Pour l'amour! s'exclama Christine, tandis que sa voiture arrivait à la hauteur de la mendiante. Qu'est-ce qu'elle fait là?

— Je crois qu'elle…

Charel s'interrompit, elle-même surprise par l'incongruité du lieu dans lequel était accompli ce geste pourtant si naturel. Son esprit avait du mal à concevoir une telle possibilité.

— Elle pisse! s'offusqua la conductrice, le regard horrifié, rivé sur la traînée d'urine qui serpentait derrière la pauvre femme. J'en reviens pas! Quelle vulgarité! Il existe des endroits pour faire ça! Il faut être malade!

Non, se dit Charel, *il faut être désespéré. Tout simplement.*

Christine Lambert actionna le klaxon qui retentit avec force. L'indigente tourna à peine le menton dans leur direction. La voiture roula encore, puis s'arrêta à la guérite du quartier Côté Soleil. À deux pas de la barrière, une jeune mulâtre à la chevelure emmêlée avait placé par terre son étal de bijoux faits main. Charel sourit en reconnaissant Yssa Victorin.

— Tiens, encore une autre mendiante! ne put s'empêcher de déclarer Christine avec un certain dédain. Il y en a partout! Ça pullule!

Charel Martin lorgna son amie du coin de l'œil. Pulluler? Où avait-elle bien pu apprendre l'existence de ce mot?

— Yssa n'est pas comme les autres. Ils sont super beaux, ses bijoux.

— Peut-être, mais quand même.

— Elle travaille fort pour gagner son argent. Elle a du talent.

— Pfft! persifla l'autre. Et qu'est-ce qu'elle en fait ensuite, hein? Elle le boit? Elle le fume? Elle se *shoote*?

— Eh bien, j'imagine qu'elle fait comme toi! Elle le dépense! Ce qu'elle en fait, ça te regarde pas! T'as pas de compte à lui rendre, eh bien, elle non plus!

Charel avait monté le ton. Christine la regardait, médusée.

— Qu'est-ce qui te prend! T'as pas dit un mot de la matinée et là, tu cries contre moi!

Charel soupira bruyamment. Elle n'avait qu'une hâte: rentrer chez elle et s'étendre un peu pour récupérer les heures qu'elle n'avait pas eu le loisir de dormir.

— Je m'excuse, répondit-elle en détournant le regard. J'ai un affreux mal de tête.

Un troisième mensonge. Pour appuyer ses mots, elle se massa les tempes et ferma les yeux. Son amie fronça les sourcils. Elle ne la croyait pas, mais ne répliqua rien.

La voiture s'engagea dans l'allée menant à la guérite. Les deux adolescentes s'identifièrent auprès des gardiens de sécurité, et la grille s'ouvrit pour les laisser entrer. Du coup, le décor changea. Christine se radoucit, oubliant la présence des mendiants et leur odieuse misère. Elle ne les voyait plus? Alors ils n'existaient plus! Envolés, comme par magie. Ou par miracle.

Il lui arrivait de temps en temps de leur venir en aide en faisant des dons d'argent ou de vêtements, ou encore en préparant de la nourriture, réfugiée au fond des cuisines de soupes populaires de la Cité. Elle le faisait surtout pour se donner bonne conscience, pour bien paraître aux yeux des autres, de sa mère, surtout. Elle tenait cependant à avoir très peu de contacts directs avec eux. En fait, elle avait peur d'eux. Peur que leur pauvreté se révèle contagieuse.

La voiture se gara dans l'entrée de la demeure des Lambert. Charel aida son amie à sortir les emplettes. Les bras chargés de victuailles et de cadeaux, elles faillirent trébucher sur un chaton qui dormait sur l'herbe. La petite boule de poils caramel s'étira sur l'herbe et lâcha un long miaulement. Vite remis sur pattes, il vint frôler ses moustaches contre les mollets de Christine. L'adolescente posa ses paquets sous le porche.

— D'où tu viens, toi, hein?

Le chaton inclina sa petite tête d'un côté, puis de l'autre. Il miaula de plus belle.

— Il est absolument trognon! Tu trouves pas, Chacha?

— Oui, mignon tout plein, répondit-elle, oubliant sa colère et son présumé mal de tête.

Christine se pencha, saisit la petite boule de poils qu'elle appuya amoureusement contre sa poitrine. Elle caressa l'animal qui lui répondit à grand renfort de ronrons.

— Je crois que je vais l'adopter ! s'écria-t-elle, sous le charme. Je vais aller lui chercher du lait.

Elle fourra le chat dans les bras de Charel, disparut à l'intérieur puis revint, moins de trente secondes plus tard, avec une soucoupe qu'elle destina à la petite bête. Le chaton lapa le liquide blanc avec délice.

D'abord ravie par ce gentil spectacle, Charel finit par se rembrunir. Christine Lambert se rendait-elle compte de ce qu'elle faisait ? Avait-elle seulement conscience de la portée sociale de son geste ? Elle nourrissait un chat, probablement errant, alors qu'elle méprisait et ignorait les mendiants. Elle levait le nez sur la misère d'êtres humains, mais s'attendrissait sur le sort d'animaux. *Quelle contradiction ! Quelle aberration !* ne put-elle s'empêcher de constater. Rosa avait bien raison en prétendant que Christine était la reine des *précieuses ridicules*.

Elle songea à son prochain voyage sur la Côte d'Azur. Celui-ci prit désormais une dimension sociale bien ténue à côté de ce que lui offrait la fille du télévangéliste. Tout un été dans un orphelinat de Quetzaltenango à aider de jeunes Mayas, à leur enseigner à écrire, à compter, à coudre… Quelle aventure, quelle expérience de vie ! Mais il faudrait sûrement recevoir un tas de vaccins pour séjourner là-bas. Elle détestait les seringues plus que tout. Une peur panique. Leur seule vue lui faisait verser des torrents de larmes et elle se mettait à trembler comme une feuille. Pourtant, ce voyage différerait complètement de tous ceux qu'elle avait déjà faits. Alors au diable les seringues et les piqûres! Elle fermerait les yeux et respirerait un bon coup. Et tout serait terminé en moins de deux. Elle serait bien capable de faire semblable sacrifice pour aider les plus démunis.

Tandis qu'elle rentrait chez elle, un bruit de tondeuse se mit à rugir. Elle s'étira le cou et aperçut, à quelques maisons de là, le beau Daniel Cohen à l'œuvre. Comme chaque fin de semaine, il donnait un coup de main à ses voisins pour l'entretien des pelouses. Il y consacrait presque toutes ses heures de loisir. Et il le faisait gratuitement. Les résidants de Côté Soleil s'entendaient pour dire qu'il n'y avait pas en ville de garçon aussi sérieux, aussi responsable, aussi généreux. Ses grands-parents ne semblaient pas partager la même opinion et évitaient de parler de lui, comme s'il s'agissait d'un inconnu. Oui, la vie était pleine de contradictions.

Charel sourit néanmoins et soupira à l'idée de la soirée qui l'attendait. Embrasserait-elle Daniel? Dans quelques heures, elle le saurait…

Les parents de Christine étaient confinés à l'étage, mais monsieur Lambert venait régulièrement faire son tour de garde afin de s'assurer que la fête de sa fille unique ne prenne pas une tournure catastrophique. Les invités s'accommodaient plutôt bien de cette présence importune, même s'ils trouvaient que la situation ressemblait à s'y méprendre à une mauvaise sitcom populaire. Christine avait beau jouer à la petite pimbêche richissime, elle n'en demeurait pas moins hyper dépendante de ses parents.

La table débordait de victuailles. Les invités piochaient allégrement dans le buffet tandis qu'ils se déhanchaient au rythme d'une musique tonitruante. Ils devaient crier pour se faire comprendre de leurs compagnons. Certains aliments méconnaissables finissaient en galette sous la semelle des insouciants. Des éclaboussures de boissons gazeuses maculaient la nappe et de gros cernes d'humidité tachaient les meubles d'acajou du salon. Quelques objets de la décoration voyageaient d'une pièce à l'autre. Christine Lambert gardait le sourire malgré la tension qui régnait en elle. Elle n'avait de cesse de passer derrière ses invités pour nettoyer au fur et à mesure. Elle n'arrêtait pas de surveiller du coin de l'œil Maxim McCormick qui, pour la faire sortir de ses gonds, s'amusait à faire semblant de fumer des cigarillos parfumés. La soirée lui donnait beaucoup plus de fil à retordre qu'elle ne l'avait prévu.

— Relaxe, lui lança Daniel Cohen en apercevant son petit manège. Amuse-toi un peu. Tu n'as pas encore dansé...

Christine pivota vers lui.

— J'y vais dans deux secondes, répliqua-t-elle, feignant la maîtrise parfaite de la situation. Je t'avais dit qu'il n'y a pas de porc dans le buffet, hein?

— Vraiment?

— Oui, vraiment, déclara-t-elle avec fierté. Tu vois, j'ai pensé à tout!

— Quel dommage! Je ne suis pas pratiquant. Je pensais bien pouvoir en manger ici...

Le visage de Christine se décomposa d'un coup. La crise d'hystérie venait de frapper à la porte de son sang-froid. Daniel lui donna une petite tape amicale sur l'épaule.

— C'est une blague. Relaxe...

Cette fois, elle avala de travers. La moindre peccadille se révélait une source intarissable d'embarras, de nervosité. Elle ne contrôlait rien. Ni ses pensées, ni ses émotions. *Au moins*, se disait-elle, *tout le monde est là*. Malgré la boule de nerfs à vifs qui sautillait dans sa gorge, elle dut admettre que ses invités s'amusaient. Ils riaient, dansaient, discutaient. C'était bien ce qui comptait le plus, non? Leur offrir une soirée mémorable...

Dans la salle à manger, Daniel rejoignit Charel pour boire un verre de punch.

— On va prendre un peu d'air frais?
l'invita-t-il.

Charel acquiesça, heureuse de se soustraire
à la cinquantaine de témoins qui les entouraient, notamment son frère Benjamin qui ne
donnait pas sa place pour l'embêter et Maxim
McCormick qui ne cessait de les observer. Deux
vrais chaperons! Daniel entrebâilla la porte-
fenêtre et ils se glissèrent, incognito, dans le
jardin. Ils s'assirent sur les marches. Le clair de
lune baignait leurs visages intimidés. Ils se
retrouvaient fin seuls pour la première fois. Ils
ne savaient pas trop quoi dire ni quoi faire. Le
bruit assourdi de la musique tambourinait dans
leur poitrine. L'air frisquet d'avril la fit frissonner. Elle repensa au cadeau de Christine. Elle
aurait dû apporter le châle…

Sentant sa compagne frémir, Daniel se
resserra sur elle, l'enveloppant de son bras
protecteur. Elle sentit son souffle chaud à travers sa chevelure. Elle ferma les yeux et releva
le menton, dans l'expectative. Le baiser ne vint
pas. Pas tout de suite.

— Tu veux rester encore un peu? murmura-
t-il.

Charel haussa les épaules, un peu déçue.

— Non, je suis fatiguée.

— Viens, je te raccompagne.

Sa main se glissa dans celle, un peu moite,
de l'adolescente, puis ils s'en allèrent. Ils mar-
chèrent en silence dans la rue déserte, savourant

les premiers instants de leur nouvelle intimité. Sous le porche de la résidence des Martin, ils se tinrent l'un en face de l'autre, se demandant désormais ce qui allait suivre.

— Je suis pas si fatiguée que ça, tu sais, dit-elle d'une voix à peine audible.

— Moi non plus, lui répondit-il, un sourire au coin des lèvres.

Alors elle prit de nouveau sa main et l'entraîna avec elle. Ils contournèrent la maison. Elle marcha devant, la tête néanmoins tournée vers lui, et ils échangèrent un sourire. Ils franchirent une tonnelle recouverte de lierre et parvinrent dans le jardin. Le vent souffla, faisant bruire doucement le feuillage des arbres.

— Je crois que je vais t'embrasser, Charel Martin…

Elle sourit.

— Dépêche-toi, sinon c'est moi qui le ferai…

Ils avancèrent l'un vers l'autre, le souffle coupé. Ils s'enlacèrent et, comme leurs lèvres allaient enfin se goûter, quelque chose apparut au coin de l'œil de Charel. Elle tourna machinalement la tête. Son corps se crispa, ses yeux s'écarquillèrent, puis sa bouche laissa échapper un petit cri de stupeur. Daniel sursauta. Il découvrit à son tour l'horreur, à quelques pas d'eux. Il écrasa aussitôt la tête de Charel contre sa poitrine. L'adolescente se mit à sangloter.

Dans la piscine flottait un corps sans vie. Son visage était tourné vers les profondeurs sombres de l'eau. Sa chevelure et ses membres dansaient mollement autour de lui, animés par de légères vaguelettes.

3

LES VIEILLES RANCUNES

Dimanche 16 avril…

Après le choc de la découverte d'un cadavre dans sa piscine, Robert Martin envoya sa fille dans la maison. Daniel Cohen l'accompagna pour la réconforter. Elle vomit à plusieurs reprises dans la cuvette de la salle de bains, à l'étage. L'image indélébile du corps flottant dans l'eau hantait son esprit. Son compagnon jouait les costauds, lui disait que tout allait bien, maintenant; ils savaient pourtant tous les deux que ce n'était que des mots. Pour apaiser les tourments, pour combler le silence, pour se prouver qu'ils existaient encore.

Dans le salon, Éva se rongeait les sangs, hébétée par la tragédie qui frappait sans crier gare. Une myriade de questions frappait son esprit. Qui était cet adolescent mort dans sa cour? Qu'avait-il donc fait pour mériter un si triste sort? Quel pervers avait pu commettre un geste aussi horrible? La victime avait-elle été… abusée? N'étaient-ils donc en sécurité nulle part dans cette foutue Cité! Du coup, elle oublia ses problèmes sentimentaux et pria pour que son époux trouve une solution rapide.

Dans la cuisine, Benjamin faisait les cent pas. Il cachait mal l'anxiété panique qui lui triturait les tripes. Que fabriquait son père ? Après quoi attendait-il ? Pourquoi n'appelait-il pas les flics ? C'était tout de même insensé de tergiverser de la sorte. Cela faisait au moins une demi-heure qu'il arpentait le jardin en compagnie des agents de sécurité de Côté Soleil, et il ne se passait toujours rien de concret. Il se contentait de discuter à voix basse, dans l'intimité de la nuit. Le garçon s'arrêta devant le téléphone. Il leva le bras vers l'appareil. Ses doigts touchèrent le combiné de plastique, sans toutefois se résoudre à le saisir. Il pivota et alla entrouvrir la fenêtre, juste au-dessus de l'évier. L'air frais de la nuit entra soudain dans la pièce, de même que des murmures qui contenaient mal la colère de son père. Benjamin tendit l'oreille.

— Que faisait ce garçon dans notre communauté, hein ? Est-ce que l'un de vous peut me le dire ?

Robert Martin observait ses cinq agents d'un œil implacable, presque accusateur. Sur l'herbe, au centre du cercle qu'ils formaient, reposait le corps sans vie qu'ils avaient repêché quelques minutes plus tôt. Une bâche jetée en vitesse le recouvrait. Le bras gauche du cadavre, mal camouflé, pointait en direction de la haie de cèdres bien ciselée. Dans la maison voisine, une silhouette apparut à la fenêtre.

— Qui a fait entrer ce petit vaurien? pesta Robert Martin entre ses dents, tentant de ne pas hurler sa rage et son impuissance. Qui?

— Je vais vérifier auprès des Lambert, répondit l'un des agents. Leur fille donnait une petite fête et…

— Et puis quoi encore? T'es en train de me dire que vous avez pas soumis les visiteurs d'hier soir au contrôle de sécurité! Que vous avez pas fouillé chacune des bagnoles qui ont franchi la guérite? Et depuis quand les loque-teux fraient-ils avec l'élite? Voyons, ça tient pas debout! Christine Lambert n'aurait jamais invité Kim Nguyen. Même pour faire plaisir à quel-qu'un d'autre. Jamais!

Dans la cuisine, Benjamin se crispa. Son père connaissait donc l'identité du cadavre. Il n'en avait pourtant jamais soufflé mot. Et Kim non plus.

Kim Nguyen… Une connaissance inavouée. Inavouable. Presque une amitié. Ne dit-on pas que les contraires s'attirent? La personnalité du jeune Vietnamien d'origine, ce crack en informatique, lui avait tout de suite plu. Un esprit rebelle doublé d'un verbe incendiaire. Cela faisait de lui, malgré l'extrême pauvreté de ses parents, un vis-à-vis hors pair. Ils s'étaient connus un an plus tôt, à l'arcade du centre commercial. Mais Benjamin vivait trop dans l'ombre du jugement paternel pour révéler l'existence de cette camaraderie.

Le garçon se rapprocha davantage de la fenêtre.

— Je veux un relevé des entrées et des sorties des quarante-huit dernières heures. Je veux aussi une vérification de toutes les vidéos de surveillance. Je veux savoir comment il est entré ici, cette fois. Et surtout, je veux savoir qui a fait le coup.

— Et pour la police ?

— Quoi, la police ?

— Eh bien, il faut les avertir, chef…

Robert Martin lança une œillade assassine à son subalterne.

— C'est d'abord et avant tout une affaire interne. Quelqu'un a pas fait son job. Ou il l'a mal fait. Ce qui revient au même. Je tiens à avoir toutes les informations avant que les flics de la Cité rappliquent. Je veux ça sur mon bureau avant l'aube. Après, on pourra plus rien faire.

Les agents acquiescèrent en silence et se retirèrent. Robert Martin soupira. Il s'accroupit et souleva un pan de la bâche. La lueur de la lune éclaira faiblement les traits de la victime. Ses cheveux longs et mouillés se perdaient dans l'herbe. Le visage de Kim Nguyen n'était pas bouffi, ni bleu. Il n'avait pas succombé par noyade. On avait fait la sale besogne avant de le plonger dans la piscine. C'était clair comme de l'eau de roche. Sinon, l'adolescent se serait débattu, aurait crié et provoqué des remous, des éclaboussures qui l'auraient alerté. Non, le meurtre avait été commis ailleurs.

L'homme se redressa et promena un regard suspicieux sur les environs. À la fenêtre de la maison voisine, la silhouette quitta aussitôt son poste de guet. Avant de faire face à la police de la Cité, Martin devrait affronter ses voisins, ceux qui le payaient grassement pour assurer non seulement la tranquillité des lieux, mais surtout leur sécurité. Et lui, le président de *Future Engineering*, le cerveau derrière les systèmes de sécurité de Côté Soleil dont il vantait l'infaillibilité, était sur le point de sombrer. Le corps de Kim Nguyen retrouvé dans sa piscine venait de foutre en l'air des années de recherches et d'applications technologiques. Ce meurtre odieux allait bientôt étaler publiquement son incompétence. Ce petit vaurien de Nguyen n'était pas la seule victime dans cette sordide histoire. Robert Martin en devenait une malgré lui. Qui lui en voulait au point de mettre un cadavre dans sa cour ? Qui possédait pareil culot ? Qui réussissait à déjouer les contrôles de sécurité à ses dépens ?

À ce jour, il avait toujours cru que Kim Nguyen était celui que son fils Benjamin surnommait ironiquement le *Fantôme*. Mais là, au beau milieu de la nuit, l'homme doutait de son hypothèse. De lui surtout. Il fallait absolument que ses agents trouvent quelque chose de concret avant l'aube. Du coup, il se sentit las, terriblement vieux.

Benjamin attrapa le combiné du téléphone et composa le 9-1-1. À l'autre bout de la ligne, on lui répondit que les policiers étaient déjà en route. Le garçon raccrocha, la mine dépitée. Il n'avait même pas eu le plaisir de venger le triste sort de son ami Kim.

L'espace d'une seule nuit, tout s'était recouvert d'un voile sombre, tenace, pesant. Un voile aux pourtours indéfinissables qui étouffait sans merci les espoirs et la vie. Rien ne serait plus jamais comme avant.

Charel hoquetait, exsangue, affalée sur la céramique de la salle de bains. Le regard vide, éteint. La lèvre tremblante. La main serrée sur son cœur, l'autre enfouie entre ses jambes repliées. Elle ressemblait à un fœtus géant, tout habillé, qui cherchait le moyen de retourner dans le sein maternel, dans le liquide chaud et réconfortant de l'amnios, avant que la vie à l'air libre n'existe pour de bon, avant que le mal ne commence à se matérialiser. Elle ferma les yeux et quitta la lumière trop crue de la réalité.

Toujours près d'elle, assis sur le rebord de la baignoire, Daniel observait son propre reflet dans le miroir ovale. La peur transpirait des

pores de sa peau et de son âme. Elle compri-
mait son cœur et ses pensées qui virevoltaient
dans sa tête, qui se frappaient contre ses tempes
pour tenter de sortir, de s'enfuir de lui. Ce n'était
pas le visage de Kim Nguyen qu'il voyait se
fondre sur le sien, dans la glace, mais bien celui
de son père, blessé grièvement dans une bagarre,
et quadraplégique depuis dix mois. Il avait
appris, tant bien que mal, à vivre avec cette
absence inattendue qui avait chamboulé son
existence. Il lui semblait désormais que le
cercle vicieux se remettait en branle, qu'il
devait revivre un à un les sentiments qu'il avait
dû apprivoiser. La violence reniflait sa piste
pour le débusquer au moment où il s'y attendait le moins.

Au loin, par-delà la maison et même la
communauté, des sirènes rompirent le silence
de la nuit. Elles se rapprochaient, s'intensi-
fiaient à chaque seconde.

Charel sortit enfin de sa léthargie. Elle se
redressa et posa son regard sur son amoureux.
Pendant un moment, elle chercha à comprendre
ce qu'il faisait là, ce qu'ils fabriquaient dans la
salle de bains. Puis les souvenirs s'abattirent
sur elle. La peur et l'incertitude, une fois de
plus, la poursuivaient. Elle se demanda si un
jour elle serait capable d'embrasser Daniel
Cohen sans revoir cette tache sombre voguer
sur les flots de sa mémoire.

Le jeune couple sanglota. Chacun mit les pleurs de l'autre sur la tragédie du moment, tragédie qui allait bientôt frapper le quartier de plein fouet. Ils ignoraient cependant tout de la raison véritable qui alimentait le désespoir de chacun. Ils ne la découvriraient que deux semaines plus tard, lorsque tout serait gâché. Du moins presque tout.

Le jour se levait enfin. Pourtant, personne n'y voyait clair. Encore moins Robert Martin. Revenus bredouilles de la mission qu'il leur avait donnée, ses agents de sécurité ne savaient pas de quelle façon Kim Nguyen avait réussi à franchir les murs de Côté Soleil. Et les policiers de la Cité se pointaient déjà, l'air menaçant, à la guérite principale.

À leur tête, nul autre que l'inspecteur Sarto Duquette, un emmerdeur de première aux allures de boxeur. Le corps trapu, les jambes torses, le cheveu hirsute, le regard bigle, le nez épaté et le teint blafard, l'homme ne payait pas de mine. Pourtant, qui s'y frottait s'y piquait à coup sûr. Son instinct acéré et son esprit en état d'ébullition venaient à bout des situations les plus complexes. Et il se délectait déjà de pouvoir remettre Robert Martin à sa place.

L'inspecteur s'avança d'un pas de fauve, étonnamment souple. Il détailla chaque élément du jardin, puis la bâche recouvrant le corps de la victime. Il grimaça.

— C'est toi, Robert, qui as touché à ma scène de crime?

— Qu'est-ce que tu voulais que je fasse, bon sang! Que je le laisse là, dans l'eau, sans essayer de le réanimer!

Duquette écarquilla les yeux.

— Tu veux dire que... tu lui as fait le bouche-à-bouche?

Il se mit à rire malgré lui en grattant les poils de son menton mal rasé. Depuis dix ans, Robert Martin avait peu changé, hormis ses tempes plus grisonnantes. Cet ancien collègue des crimes informatiques prenait toujours aussi facilement la mouche.

— Quand on l'a sorti, on a bien vu qu'il n'était pas mort noyé.

— Qui l'a trouvé?

— C'est... moi.

L'hésitation ne passa pas inaperçue.

— À quelle heure?

— Je me souviens pas trop. Vers trois heures, peut-être... Plus ou moins.

Sarto Duquette ordonna à un de ses agents de soulever la bâche. Il tourna autour de la victime, le front plissé.

— Qu'est-ce que tu faisais? Tu dormais?

— Non, juste assoupi. J'attendais Éva. Elle faisait du bénévolat, au centre-ville.

— Et tes enfants?

— Ils assistaient à une petite fête, de l'autre côté du parc.

— Toujours responsable de la sécurité de Côté Soleil?

Robert Martin évacua son malaise par un long soupir.

— Oui.

— J'imagine que tes agents ont vérifié les déplacements des résidants au cours des dernières heures.

— Effectivement.

— Ils n'ont rien noté de spécial?

Robert Martin secoua la tête de droite à gauche.

— Eh bien! se moqua l'inspecteur. On dirait que tu l'as pas vue venir, celle-là!

Le président de *Future Engineering* ne dit mot. Duquette était le technophobe par excellence. Dès qu'il approchait d'un ordinateur, celui-ci tombait à plat. Il n'avait même pas de cellulaire et tapait encore ses rapports à la dactylo. Il allait se servir de toutes les munitions possibles pour miner la crédibilité de Martin. Et celle de la communauté en souffrirait au passage.

— Bon, ça suffit, dit-il en sortant de la poche de sa veste de cuir une balle antistress qu'il se mit à tripoter. Si tu me disais la vérité, Robert.

Son interlocuteur soutint son regard sans broncher.

Les vieilles rancunes figuraient toujours en tête de l'ordre du jour. Tout ça parce que, dix ans plus tôt, à la demande du procureur de la défense, Martin avait mis en pièces la preuve que Duquette préparait avec soin depuis des mois pour coincer un criminel. Une preuve informatique, cela va sans dire, grâce à laquelle il avait semé un doute raisonnable dans l'esprit des membres du jury. Dès lors, l'inspecteur honnissait tout ce qui touchait, de près ou de loin, aux nouvelles technologies. Hors de question pour lui d'admettre, même du bout des lèvres, que cela rendait parfois plus facile la résolution de certaines affaires.

— C'était pas toi, et il n'était pas trois heures du matin.

Robert Martin fronça les sourcils. Du coup, il détesta la perspicacité légendaire de son interlocuteur. Il se mit à le craindre. L'inspecteur en profiterait sûrement pour l'inculper sans fondement, pour assouvir sa vengeance et lui faire payer les affres du passé. D'ores et déjà la présomption d'innocence s'envola. Avec Duquette dans les pattes, il n'était pas sorti de l'auberge.

— Écoute-moi bien, Robert. C'est mal parti, ton affaire. On découvre un corps chez toi et c'est même pas toi qui nous appelles. Comment t'expliques ça ?

L'autre homme crispa les poings. Il lança un coup d'œil vers le patio. Derrière la porte-fenêtre se tenait son fils Benjamin.

— Qu'est-ce que tu cherches à faire, Robert ? À me damer le pion ? À faire ta propre enquête ? Laisse-moi te dire une chose : la forteresse dans laquelle t'habites a beau avoir son propre système de sécurité, sa petite police spéciale et même ses services privés, elle est d'abord et avant tout sous la juridiction de la Cité. Ou si tu préfères : la mienne. Oublie jamais ça. Alors, elle est où, ta fille ?

Les narines de Robert Martin se dilatèrent pour laisser entrer tout l'air dont il avait besoin pour calmer son esprit échauffé. D'un signe de tête, il montra la maison. Petit sourire en coin, l'inspecteur Duquette monta l'escalier du patio, son adversaire sur les talons. Il se retourna et fourra sa balle antistress dans une poche.

— J'ai pas besoin de toi pour faire mon job, lança-t-il avec aplomb.

— Laisse-moi au moins l'avertir.

L'inspecteur s'installa au salon. Charel le retrouva quelques secondes plus tard, le visage rougi d'avoir trop pleuré. Il lui demanda de refermer les portes françaises, et elle obéit. Elle s'assit devant lui, sans s'adosser au canapé. Les mains crispées sur ses genoux, la tête baissée, elle attendait que l'interrogatoire commence.

— On peut dire que la journée commence mal, hein ?

L'adolescente approuva d'un simple haussement d'épaules.

— J'ai deux ou trois questions de routine à te poser. Plus vite on va commencer, plus vite on va finir. Tu vas voir, ça fait pas mal. On y va. OK ?

Charel avait envie de lui crier que les souvenirs, eux, font souvent mal. Elle releva la tête en reniflant et dirigea ses prunelles noisette sur l'inspecteur. Son regard franc, un tantinet naïf, plut aussitôt à l'homme. Il sut qu'il pouvait lui faire confiance. Elle lui raconta alors de quelle façon Daniel Cohen et elle avaient fait la macabre découverte.

— Il était donc une heure du matin, résuma-t-il.

— Oui.

— Certaine ?

— Assez, oui.

L'inspecteur Duquette esquissa une risette de satisfaction en repensant à la fausse déclaration du père.

— Est-ce que tu connaissais la victime ?

— Pas personnellement. Il rôdait souvent près de la guérite.

— Seul ?

— Non, avec une fille. Yssa Victorin. Elle fait des bijoux. Ça lui arrive d'en vendre, sur le trottoir. J'en ai déjà acheté. Elle et Kim, ils sortent ensemble. Je veux dire... ils sortaient...

Sur le dernier mot, répété à l'imparfait, la voix de l'adolescente se brisa. Elle versa quelques larmes et s'essuya les joues du revers de la main. Par respect, l'inspecteur attendit un peu avant de poursuivre son interrogatoire.

— T'as déjà vu Kim Nguyen se promener dans le coin?

— Non, jamais. Il n'a...vait pas d'amis ici.

— Personne n'aurait donc eu de raison logique de le laisser entrer.

— Je pense pas, non. Mais...

Charel s'interrompit. Ses yeux se mirent à papillonner nerveusement entre les objets de la pièce. Duquette fronça les sourcils, aux aguets. Il sentait qu'il allait bientôt découvrir une information cruciale qu'il ne détenait pas encore.

— As-tu remarqué quelque chose d'étrange, ces derniers temps?

L'adolescente se mit à jouer avec les plis que faisait son pantalon à la hauteur du genou. Elle hésitait. Elle était censée tout dire, ne rien cacher au policier assis devant elle. Pourtant, une certaine méfiance retenait son élan, son instinct. Elle voulut lui parler du *Fantôme*, mais se ravisa. Son père avait déjà dû le mettre au courant. Elle se contenta donc de secouer la tête, prenant soin de porter le regard dans une autre direction. Sarto Duquette n'était pas dupe. Elle ne lui disait pas tout. Cela ne l'inquiéta pas outre mesure. Il serait toujours temps d'apprendre ce dont il s'agissait.

Il la remercia, lui glissa sa carte professionnelle entre les doigts et s'en alla interroger Éva et Benjamin Martin. Comme ceux-ci étaient absents au moment de la découverte du corps, l'entretien ne dura pas longtemps. Il prit donc congé rapidement. Dès qu'il franchit le seuil de la maison, Robert Martin se cala à côté de sa fille.

— Il n'a pas été trop dur avec toi?

— Non.

— Qu'est-ce que tu lui as dit?

— La vérité.

Les traits du père se durcirent. Il allait devoir fournir quelques explications. Il lui fallait trouver quelque chose de crédible. Et vite.

— Est-ce que tu lui as parlé du... *Fantôme*?

— Non. Je me suis dit que tu l'avais fait.

— Effectivement, mentit-il. Je l'ai mis au courant.

Il se rapprocha un peu plus de l'oreille de sa fille.

— Est-ce que tu sais si c'est Benjamin qui a appelé les policiers?

Cette fois, Charel lança un regard incrédule à son père.

— Je croyais que c'était toi...

Robert Martin regretta sa question. Oui, il allait devoir rendre des comptes. Et pas seulement à Sarto Duquette.

Dans la rue, l'inspecteur donna des ordres à ses hommes et s'en alla poursuivre son enquête chez Daniel Cohen. Une voiture noire resta cependant garée devant la demeure des Martin.

— Va te reposer un peu, dit Robert à sa fille.

— Toi aussi, tu devrais y aller.

Il l'embrassa sur la joue et la poussa doucement vers sa chambre. Il fit signe à trois de ses gardiens de sécurité qui poireautaient dans l'entrée. Ils s'enfermèrent au salon. Robert Martin se versa un verre de scotch.

— Duquette pense que j'ai fait le coup, déclara-t-il après une longue gorgée.

— C'est pas logique, chef.

— Il découvrira bientôt que quelqu'un s'amusait à nos dépens. C'est une question de temps avant qu'il apprenne que Kim Nguyen était notre principal suspect.

— On sait toujours pas comment il s'y prenait.

Robert Martin les dévisagea un à un tandis qu'il faisait tourbillonner l'alcool au fond de son verre.

— Et si Nguyen n'était pas notre *Fantôme*, suggéra l'un des hommes. Si c'était plutôt celui qui l'a tué…

— Un complice? formula autrement Robert Martin.

— Ils auraient pu se disputer et puis skwik! dans ta piscine.

— Et pourquoi *ma* piscine?

— Pour te faire porter le chapeau. Il devait savoir que tu avais maille à partir avec la victime.

Les agents de sécurité acquiescèrent, trouvant l'hypothèse plausible. Néanmoins, cette notion de complicité ne réjouissait pas Robert Martin. Si le complice venait de l'extérieur, le problème restait entier: comment faisaient-ils pour pénétrer dans ce secteur hautement sécurisé? Par contre, si le complice venait de l'intérieur, cela changeait la donne.

Oui, quelqu'un de l'intérieur l'avait trahi. Sûrement un de ses hommes. Mais lequel? Et qu'avait-il à retirer de ce crime?

Il avala d'un trait le reste du scotch et donna congé à ses employés. Il regarda sa montre. Sept heures trente du matin. Quelques heures de sommeil et il verrait tout d'un autre œil. Du moins il l'espérait...

4

LA PETITE VENDEUSE DE BIJOUX

La vie avait basculé, l'espace d'un trop court moment. De façon inattendue, irréversible. La couleur des choses s'était estompée, dissimulée sous un épais écran de poussière. Il ne restait plus qu'un goût amer, un goût de cendre dans la bouche, un goût qui s'attaquait aux gencives pour tout déraciner. La nouvelle de la tragédie se répandit comme une traînée de poudre. En quelques minutes à peine, les membres de la communauté, mais aussi la population de la Cité, apprirent que l'horreur avait une fois de plus frappé.

Dès que Robert Martin posa la tête sur l'oreiller, le téléphone se mit à rugir. Le sommeil ne vint pas. Ni le courage d'affronter les autres. Il ordonna à la maisonnée de ne pas répondre. La boîte vocale se remplit d'une multitude de messages le temps de crier *au meurtre*! Il ressentit le besoin de se blottir dans les bras d'Éva — elle-même perdue dans les vapeurs des somnifères —, mais une seule idée l'obnubilait: débusquer l'assassin. Il aurait bien le temps, plus tard, de dire à sa femme qu'il l'aimait.

Anita Cohen et son époux Josef tremblaient dans le salon de leur grande maison silencieuse. Ils caressaient la fourrure de leurs lévriers afghans d'un air consterné. Daniel les observait depuis un long moment. Il avait besoin de leur amour, de leur tendresse. Il n'osait toutefois pas parler, ni émettre le moindre son. Ses grands-parents l'ignoraient de plus belle. Encore une fois, il se sentit de trop. Le mauvais sort s'acharnait sur lui, se répétait en boucle. D'abord l'accident qui avait condamné son père à vivre cloué dans un lit, puis le meurtre de ce pauvre garçon. Les tragiques événements de la nuit précédente n'allaient rien arranger entre eux. Les deux vieux époux ne manqueraient pas de l'accuser de tremper dans cette affaire d'homicide. Déjà qu'ils ne pouvaient pas blairer les Martin.

Du côté des Navarro, le pasteur s'en alla au pas de course se réfugier dans la chapelle de la communauté Côté Soleil. Ses mains jointes formaient un bloc informe de chair blanchie par la ferveur, par la frayeur. Il se signait régulièrement et priait à voix haute, comme pour s'assurer que sa supplique monte plus vite vers Dieu, vers son salut. Il ne s'aperçut même pas de l'arrivée de son épouse Pilar. Celle-ci demeura interdite en le voyant. Des spasmes agitaient le corps de l'homme, son toupet retombait sur son front soucieux, de gros cernes de sueur imbibaient sa chemise empesée. Elle l'avait rarement vu dans un tel état de transe. Pas même sur scène, ou lors des enregistrements télévisés, devant une foule de fidèles convaincus. Et au travers de ses murmures, il lui sembla entendre qu'il remerciait Dieu, qu'il s'en remettait entièrement à sa volonté.

Rue des Rhododendrons, Yann Etchevarrez, parvenu au sommet de la bourgeoisie grâce à la seule beauté de sa femme, essayait en vain de communiquer avec Robert Martin. N'obtenir aucune réponse de la part du directeur de la sécurité, lui qui se montrait pourtant toujours disponible pour la moindre peccadille, n'augurait rien de bon. Il abandonna le téléphone et se laissa choir dans un fauteuil. Kim Nguyen était mort. Cela ne se pouvait pas. Il ne voulait pas y croire. Il ne pouvait pas y croire. Pas lui. Pas aussi vite, pas aussi jeune. Quel gaspillage ! Marguerite, deux ans, trottina jusqu'à lui et s'amusa à le faire sursauter. Elle éclata d'un rire haut perché tandis que son père, excédé par cette joie de vivre enfantine, l'attrapa solidement par le bras. Le rire céda aussitôt la place aux larmes. Jacinthe Etchevarrez accourut pour apaiser la peine de sa fille. Lorsqu'elle voulut savoir ce qui venait de se produire, son époux se contenta de soupirer et quitta la pièce sans plus d'explications. Elle ne pouvait pas comprendre. Elle n'était pas assez forte pour accepter la réalité.

Chez les McCormick, les voisins immédiats des Martin, la routine ne semblait pas trop perturbée par l'arrivée impromptue de la mort. Adrian, le père, buvait son café-filtre en feuilletant le journal. Quant à son fils Maxim, il triait divers papiers dans la cave. Il fourrageait, furetait ici et là tout en grommelant. En deux temps trois mouvements, la pièce devint un véritable fouillis. Soudain, son regard s'illumina. Il trouva enfin ce qu'il cherchait avec tant de frénésie. Il avait toujours su qu'un jour ou l'autre, son passe-temps préféré lui servirait. Il lui restait désormais à déterminer de quelle façon il en userait.

Dans les allées bordées de hauts arbres, dans les jardins qui fleuraient bon le printemps, dans les grandes villas de ce ghetto doré autrefois paisible et exemplaire, la vie avait bel et bien basculé. Dès que les résidants mirent le pied sous le porche, ils jetèrent un coup d'œil méfiant à l'entour, à leurs voisins, désormais à l'affût de tout, de rien. Leurs regards s'attardaient dans les recoins ombragés du paysage. Quelque chose avait-il bougé, là, entre les branches du buisson ? Était-ce un chien ou un chat ? Depuis combien de temps ces rainures se trouvaient-elles sur les carreaux de la porte-fenêtre ? Fallait-il y voir une tentative d'effraction ? À qui appartenait cette voiture aux vitres teintées que l'on remarquait pour la première fois ? Qui était cet homme trapu qui déambulait dans la rue et que voulait-il ? N'affichait-il pas un air louche ? Du coup, la police privée de Côté Soleil fut submergée d'appels qui transpiraient les craintes paranoïaques de chacun.

Peu à peu, un sentiment étranger s'insinuait en eux et envahissait leurs pensées. Un sentiment de doute, d'angoisse qui saupoudrait leur vie et leurs habitudes. Le cocon ouaté dans lequel ils se lovaient venait de s'ouvrir brusquement au reste de la Cité, au reste du monde. Quelqu'un, quelque part, en avait forcé l'entrée secrète. Ils prenaient conscience que la sécurité qu'ils payaient si cher ne leur garantissait rien, et n'était qu'illusion. Alors ils supposaient, ils accusaient, ils jugeaient. Un peu plus qu'avant. Sans preuves, sans raison. Et ce faisant, ils versaient davantage de venin sur la plaie béante de leur détresse commune.

Les murs se couvraient de graffiti multicolores au sens équivoque. Des portes s'ouvraient sur des locaux vides, saccagés. Les chaises et les pupitres s'empilaient dans un coin. Le vent s'engouffrait par les fenêtres fracassées. Des feuilles mortes jonchaient l'échiquier vert et crème du linoléum rainé. L'eau coulait des panneaux moisis du plafond suspendu. Des rongeurs affamés fourrageaient dans des sacs de déchets éventrés à la recherche de quelque chose à se mettre sous la dent.

Charel stoppa. Elle regarda un moment devant, puis derrière elle. À chaque bout du corridor se trouvait un escalier. Elle se remit à arpenter le corridor de l'école de la Miséricorde. L'édifice tombait en ruine. C'était certainement l'école la plus mal famée de toute la Cité, peut-être même du Pays, réputée pour la violence de ses gangs, les drogues qui y circulaient presque librement, l'extrême pauvreté de sa clientèle ainsi que l'incessant roulement des enseignants qui disparaissaient après seule-ment une semaine de cours, déjà au bout du rouleau. Tout contrastait avec le Grand Collège d'études internationales.

L'adolescente regarda l'heure. Elle était en retard. Elle accéléra le pas. Elle essaya de se remémorer, en vain, le numéro du local où elle devait surveiller la période d'aide aux devoirs. Elle monta l'escalier, découvrit un nouveau corridor. Elle hésita. Elle pivota et constata avec surprise que les marches de l'escalier qu'elle venait de quitter menaient cette fois à l'étage suivant. Celles qui conduisaient au rez-de-chaussée avaient disparu. L'inquiétude s'installa. Du coup, elle ne désirait plus se rendre à sa séance de bénévolat. Elle souhaitait s'en aller, sortir de là. Elle ne comprenait pas ce qui se passait.

Elle emprunta néanmoins l'escalier et déboucha sur l'étage supérieur. Elle fit quelques pas, soucieuse. Elle tourna la tête vers la droite, puis dirigea lentement son regard par-dessus son épaule. De nouveau, les marches s'étaient envolées. En fait, l'escalier n'existait plus. Elle ne pouvait plus revenir en arrière. Elle se précipita vers l'autre extrémité du corridor. Là, rien non plus. Pas de sortie. Elle était coincée, piégée comme une petite souris encerclée par une dizaine de trappes mortelles.

Un cri éclata, suivi d'une rumeur diffuse qui venait de nulle part et de partout à la fois. Un cri dont l'écho sinistre se répercutait sur les murs de la grande école vide. Sa respiration s'alourdit, son cœur battit plus vite. Alors, du coin de l'œil, elle aperçut une silhouette qui émergeait de l'ombre. Elle recula d'un pas en reconnaissant Kim Nguyen. Il portait ses vêtements de défunt ainsi qu'un collier de perles de plastique, créé par sa petite amie, Yssa. Charel ne pouvait détacher ses yeux de son corps qui ruisselait comme s'il sortait de la baignoire.

— T'es en retard, souffla-t-il.

Charel déglutit la boule d'angoisse qui obstruait sa gorge.

— Pourquoi t'es en retard, hein ?

La jeune fille secoua la tête alors qu'un faible gémissement se faufilait entre ses lèvres entrouvertes.

— Tu viens ici chaque semaine pour te donner bonne conscience? Pour te sentir moins coupable de ta richesse, c'est ça? Mais t'aides personne, au fond.

Kim s'approcha d'elle. Elle recula davantage, jusqu'au mur contre lequel elle s'adossa. Ses yeux papillotaient. Elle avait de la difficulté à respirer.

— En tout cas, moi, reprit Kim, t'aurais pu m'aider si t'étais pas arrivée en retard…

Il lui frôla le bras avant de se fondre dans l'ombre de Charel. Et, lorsqu'elle se réveilla en sursaut dans son lit, elle constata avec stupeur que son corps était complètement trempé de sueur.

L'inspecteur Sarto Duquette arpentait les murs extérieurs de Côté Soleil et admirait l'ouvrage de fortification, digne des châteaux de l'époque médiévale. Son esprit gambada pendant un long moment, puis il sourit. Il repensa à son voyage en France, l'automne précédent, lorsqu'il avait visité la cité de Carcassonne, dans le Languedoc-Roussillon. Il se remémora surtout le château fort de Mauvezin, perché au sommet d'une colline imprenable de l'Ariège. Ce nom ridicule de Côté Soleil rappela soudain à son souvenir le personnage du comte Gaston de Foix. Chef de guerre, grand stratège, excellent chasseur, mais aussi écrivain et amateur de musique, il se surnommait lui-même Fébus en raison de sa beauté, de sa différence, de sa dignité et aussi parce qu'il avait pris le soleil pour emblème. Exactement comme les résidants qui se cachaient derrière les murs qu'il étudiait depuis une heure. Robert Martin le savait-il? Le président de *Future Engineering* avait-il fait ce lien en proposant de nommer ainsi le quartier? Sûrement pas. *Il est bien trop inculte pour ça*, décida Duquette avec un brin de mépris.

Reprenant sa ronde, il entendit de petits pas pressés se bousculer dans son dos. Il se retourna et vit une jolie mulâtre d'environ quatorze ans, un bac de plastique bleu dans les bras. Ses cheveux bouclés voletaient dans le vent. Ses vêtements amples, à la mode hippie, et enfilés par-dessus un jeans pattes d'éléphant, lui allaient à ravir. Ses sandales claquaient contre ses talons à chaque pas qu'elle faisait. Elle le gratifia d'un bref sourire, le dépassa, puis posa son paquet près de l'entrée sécurisée. Elle ouvrit le bac et improvisa un étal sur lequel elle dispersa une multitude de bijoux colorés, tape-à-l'œil et gros comme des pompons de laine.

L'inspecteur attendit qu'elle déplie une chaise de fortune et qu'elle s'y assoie pour l'aborder.

— C'est toi qui fais ça?

— Oui, monsieur, c'est moi, affirma-t-elle avec fierté.

— Et tu les vends combien?

— Ça dépend de beaucoup de choses.

L'homme soupesa au creux de sa main une partie de la marchandise. Il se demandait justement quoi offrir à sa fille pour son anniversaire.

— Je l'aime bien, celle-ci, déclara-t-il en faisant tournoyer une bague entre ses doigts.

Le baluchon de résine du bijou diffusait les rayons du soleil à la manière d'une mosaïque nerveuse emprisonnée dans un kaléidoscope.

— Quinze dollars.

Sarto Duquette enfourna la bague dans sa poche et tendit trois billets de banque.

— Ça fait longtemps que tu vends des bijoux ici?

Le sourire disparut du visage de la jeune fille.

— As-tu un permis de la Cité?

— On sait bien! répliqua-t-elle du tac au tac. Vous me faites une faveur pour mieux me tomber dessus!

L'inspecteur pouffa, ce qui irrita la petite vendeuse de bijoux. Il exhiba son insigne. La jeune fille regretta son arrogance et baissa le front.

— T'inquiète pas, petite, souffla l'homme. J'aimerais te poser quelques questions, c'est tout. Et c'est pas à propos de ton commerce.

Elle fronça les sourcils, se demandant ce qu'un flic pouvait bien lui vouloir.

— C'est bien toi, n'est-ce pas, Yssa Victorin?

Elle hocha la tête en silence.

— Tu connais ce garçon? lui demanda-t-il en lui montrant une photographie de Kim Nguyen.

Elle fit un pas en avant, s'étira le cou. Elle fit la moue. *Étrange*, se dit-elle. Kim ne se ressemblait pas tout à fait. Ses yeux en amande étaient clos, le visage tourné légèrement de côté, les cheveux mouillés, le teint livide. Qu'y avait-il derrière sa tête? Un mur vert foncé? Non, pas un mur. À la manière dont retombait sa chevelure autour de sa tête, on aurait plutôt dit qu'il était couché. Oui, sans doute dormait-il. À quel moment cette photo avait-elle été prise? Kim détestait se faire prendre en photo. Tous ses amis le savaient.

Elle se redressa et regarda l'inspecteur droit dans les yeux.

— Oui, c'est... mon petit ami. Kim. Qu'est-ce qu'il a fait, encore?

Sarto Duquette grimaça. Le moment de vérité venait de sonner. Il s'apprêtait à déchirer le cœur d'une jeune fille qui ne voyait pas le train qui fonçait droit sur elle. Chaque fois, il oubliait les mots, car il y en avait de moins pires que d'autres. Des mots tendres, des synonymes tout en nuance, à la limite de l'ambiguïté. *Kim est mort* et *Kim est parti*, ça voulait dire la même chose. Pourtant, l'interprétation pouvait porter à confusion. La diplomatie ne figurait pas dans l'éventail des qualités de l'inspecteur. Il se racla la gorge.

Au même moment, la petite vendeuse saisit la photo pour l'étudier de plus près. Elle reporta son regard sur l'homme. Devant l'air contrit du policier, elle sentit un frisson parcourir son échine. Un déclic se fit; elle venait de comprendre. Kim était mort, là, entre ses doigts. Une larme perla au coin de son œil gauche. Elle roula jusqu'à l'extrémité extérieure, inondant la sclérotique, la rendant encore plus brillante, plus vive.

— Comment est-ce arrivé? s'informa-t-elle d'une voix chevrotante.

— Peu après minuit, ce matin. On l'a assassiné.

Yssa prit quelques secondes pour digérer l'horreur. Son estomac se souleva, elle vacilla. Elle s'accrocha au bras de l'inspecteur. L'homme siffla, et une voiture stoppa à sa hauteur. Un agent de police en civil en descendit et l'aida à asseoir l'adolescente sur la banquette arrière. Duquette déboucha une bouteille d'eau qu'il tendit à la jeune fille. Elle but une grande gorgée. Un filet d'eau suinta de sa bouche, glissa le long de son menton pour cascader ensuite sur le tissu de sa robe de paysanne.

— Est-ce que ça va aller?

Elle répondit par de légers à-coups de la tête. Sarto Duquette referma la portière. Il ordonna à l'agent de récupérer les affaires de la petite, contourna la voiture, puis monta à bord, à côté d'Yssa.

— Est-ce que tu as une idée de ce qu'il faisait dans le quartier à cette heure-là de la nuit?

Elle détourna la tête et se mordit la lèvre.

— Il me disait pas tout, vous savez…

— Et que te disait-il au juste?

— Que… c'était son obsession…

— Quoi ça?

— Côté Soleil, murmura-t-elle, le regard perdu au-delà de la guérite. Il ne comprenait pas que des gens puissent vouloir se regrouper entre semblables sans y être forcés par la guerre ou la misère, ou la persécution. Il n'arrivait pas à accepter qu'ils veuillent se protéger des autres à ce point-là. Qu'ils croyaient qu'un simple mur les mettrait à l'abri de tout.

Elle but une autre gorgée d'eau, essuya sa bouche et enchaîna:

— C'est un crack de l'informatique, Kim. Alors il s'est mis en tête de pirater le système de sécurité de la communauté pour savoir ce qui se passait dans les murs. *Intra-muros*, qu'il disait. Il voulait leur prouver que le sentiment de sécurité n'existe nulle part, que ce n'est qu'une belle utopie, que les bandits ont toujours une longueur d'avance, et que c'est grâce à eux, en fait, qu'on perfectionne les systèmes.

— Il a réussi?

— Oui, avec l'aide d'une autre personne.

— Tu connais cette personne?

— Non. Kim a jamais voulu me dire de qui il s'agissait. Je sais par contre qu'il habite dans le quartier.

Sarto Duquette médita les paroles de la jeune fille. *L'ennemi vient de l'intérieur*, pensa-t-il. Lorsque Robert Martin apprendrait la chose, il allait piquer une de ces crises.

— Ça lui arrivait souvent d'y entrer incognito?

— Je sais pas.

— Personne ne s'est jamais plaint de le voir?

— Il s'y rendait de nuit seulement.

— Pour quoi faire?

Yssa Victorin haussa les épaules.

— Il me disait qu'il s'amusait. Qu'il déplaçait des choses, ici et là. Comme ça. Il volait rien, vous savez. Il voulait juste embarrasser les résidants et se moquer d'eux, de leur obsession de la sécurité, de leur complin... complè...

— De leur complaisance?

— Oui, c'est ça. Il voulait leur faire peur. C'est tout.

— Qu'est-ce que les gens de Côté Soleil lui avaient fait pour qu'il agisse comme ça?

Yssa esquissa une petite moue de mépris.

— Vous devriez les voir quand ils entrent là-dedans, dit-elle en montrant du bout du menton l'enceinte sécurisée. Vous devriez voir la façon qu'ils ont de nous ignorer, nous, les plus pauvres. Ils nous méprisent, ils nous humilient. Alors Kim a décidé de riposter en semant la peur. À sa façon.

Duquette s'adossa au siège de la voiture. Qui pouvait bien être le complice de Kim Nguyen? Un des hommes de Robert Martin? *Sûrement pas*, convint-il. *Trop facile à repérer.* Il fallait néanmoins que ce soit quelqu'un d'assez proche, quelqu'un qui pouvait avoir accès au système de sécurité. Quelqu'un aussi qui ne portait pas Martin dans son cœur.

L'inspecteur remercia Yssa et lui proposa de la reconduire chez elle. Elle refusa net. Elle récupéra son bac de plastique, traversa la rue et disparut en moins de deux. L'agent de police monta à bord. Duquette lui annonça qu'il retournait faire un tour à l'intérieur, *intra-muros*.

Le président de *Future Engineering* tournait en rond dans son bureau aux murs capitonnés. Il n'avait pas dormi depuis plus de trente-six heures et son âge le rattrapait. La barbe naissante et légèrement chenue, le cheveu en bataille, les yeux cernés, la main tremblante, la chemise froissée, le dos voûté. Il carburait à la caféine. N'importe qui lui aurait donné dix ans de plus, alors qu'il venait à peine de franchir la cinquantaine.

— Qui est la taupe? murmurait-il en crispant les poings. Qui est le salaud? Qui est ce merdeux de complice?

Il avait épluché un par un les dossiers de ses effectifs et même ceux des quelque quatre cents résidants. Pas la moindre trace d'un traître émergeait de cette foutue paperasse indigeste. Aucun passé douteux, aucun casier judiciaire. À croire que tout le monde était parfait. À quoi s'attendait-il au juste? C'était bien ce qu'il exigeait pour accepter la candidature de nouveaux propriétaires à Côté Soleil: montrer patte blanche.

L'un d'eux, pourtant, cachait drôlement bien son jeu. Mais il le percerait à jour. Il se le jurait. Jusqu'à la mort. Jusqu'à la sienne propre s'il le fallait.

Bien sûr, il restait les Autres. Du coup, le bassin de possibilités s'élargissait *ad nauseam*. Ça ne pouvait être qu'eux. Une femme de ménage? Un jardinier? Un homme à tout faire? Un livreur? Le gars du câble, de l'électricité? Qui d'autre encore? Qui avait-on mal contrôlé?

— Sacré bordel!

Il asséna un violent coup de poing sur la table. Un vieux globe lunaire sursauta et glissa de son socle. L'objet roula entre les dossiers de sécurité, exécuta plusieurs rotations et tomba sur la moquette, produisant un bruit sourd. Au même moment, on frappa trois petits coups contre le chambranle.

— Papa ?

Robert Martin reconnut la voix de sa fille aînée derrière la porte close.

— Je t'ai apporté un bol de soupe et un sandwich au poulet rôti.

Il lorgna le globe métallique qui s'était ouvert sur le tapis. Il soupira, ramassa les deux demi-lunes et les revissa. Son pouce toucha la *Mare Tranquillitatis*. La mer de la Tranquillité… La sonde spatiale américaine Ranger 8 s'y était écrasée en 1965. Bon sang qu'il aurait aimé s'y échouer, lui aussi !

— Il faut que tu manges, tu entends ?

Il replaça la lune miniature sur le cratère qui lui servait de support.

— Laisse le plateau devant la porte, Chachou.

Il colla son oreille contre la paroi. Il entendit Charel poser le plateau par terre, puis monter l'escalier. Il retira le loquet, passa la tête par l'entrebâillement et constata qu'il était bien seul dans le sous-sol. Alors il prit le plateau et s'enferma de nouveau dans son cabinet privé. Au lieu de manger une bouchée, il attrapa le téléphone et composa le numéro personnel de Duquette. Il pria l'inspecteur de lui octroyer quelques jours de répit. Seulement deux. Pas plus. Il ne voulait pas que sa communauté apprenne tout de suite cette histoire de complice. Il n'était pas encore prêt à faire face au regard, au jugement des autres.

5

L'ENVELOPPE MAUDITE

Mardi 18 avril...

Deux jours après le grand chamboulement, Charel remit les pieds à l'école. Les élèves du Grand Collège d'études internationales la dévisageaient comme ils l'auraient fait pour un animal de foire. Ils chuchotaient dans son dos dès qu'elle se retournait. Mille et une questions tourbillonnaient dans leur esprit sans qu'ils osent cependant l'approcher pour les lui poser. Quant aux enseignants, ils se montraient certes plus discrets. Néanmoins, une curiosité morbide les consumait, eux aussi. Tous voulaient savoir. Tous souhaitaient obtenir une information privilégiée.

L'adolescente garda près d'elle un cercle très restreint d'amis. Après chaque cours, ils se regroupaient près des casiers pour mieux affronter les autres élèves. À l'heure du dîner, tandis qu'ils poussaient leur plateau vers la caisse enregistreuse, des rires vulgaires éclatèrent dans la cantine. Daniel Cohen reconnut des élèves de sa classe. Il grimaça. Une rumeur circulait et il se demandait quand elle parviendrait aux oreilles de sa bien-aimée.

— Il faut le lui dire, affirma Christine Lambert, les lèvres pincées.

— Je sais, mais j'y arriverai pas, souffla le garçon.

Derrière eux, Rosa Navarro s'approcha.

— Alors moi, je le ferai, intervint-elle sans quitter des yeux le groupe d'élèves qui s'esclaffaient toujours.

Christine la regarda, suspicieuse et intriguée à la fois. La fille du pasteur, comme toujours, se révélait un parangon de calme, de maîtrise et d'audace. La reine des *précieuses ridicules* aurait tout donné pour briser cette image trop parfaite qui l'agaçait tant et qui la renvoyait à sa propre médiocrité, à sa propre nullité. Pourquoi Rosa s'offrait-elle ainsi? À croire qu'elle avait une dette envers Charel.

Ils payèrent leur lunch et mirent le cap sur une table, au fond de la vaste salle. Sur le passage de Charel, les discussions qui allaient bon train s'interrompirent, pour reprendre de plus belle une fois qu'elle fut hors de portée. Le quatuor entama le dîner. Rosa lançait de fréquentes œillades à la bande de singes moqueurs, à l'autre bout de la cantine. Après une bouchée, elle déplia la serviette de table, s'essuya le coin de la bouche, puis se tourna vers Charel.

— Il y a une rumeur qui circule, dit-elle de but en blanc. Elle n'est pas très jolie.

— Je m'en doute bien, fit la principale intéressée, la tête baissée vers son assiette de lasagne végétarienne.

Christine et Daniel retinrent leur souffle. Rosa, à l'instar de son père, possédait l'art d'entretenir le mystère. Elle prit une autre bouchée de sa salade de thon. Elle s'essuya de nouveau la bouche avant de poursuivre.

— La bande de petits cons, là-bas, sifflat-elle en montrant du menton le groupe de singes moqueurs qui maintenant se levaient pour quitter la salle. Ils se sont mis à parier gros sur l'identité du meurtrier de Kim Nguyen.

Charel ne put s'empêcher de secouer la tête. Oui, Rosa pouvait bien les traiter de cons. Car il en fallait, et des bien culottés, pour vouloir tirer profit de la misère humaine.

La déclaration suivante la pétrifia.

— Dix contre un qu'il s'agit de ton père, termina Rosa.

Le morceau de lasagne se coinça en travers de la gorge de Charel. Pendant un moment, l'air ne passa plus. Son visage s'empourpra. Sa fourchette tomba par terre, ce qui attira l'attention des occupants des tables voisines. Elle lança un regard de détresse à ses compagnons. Christine s'apprêtait à lui administrer une tape dans le dos lorsque Rosa prit une fois de plus les choses en main.

— Arrête! Tu risques d'empirer les choses.

Alors elle se leva, se plaça derrière son amie, l'enlaça, joignit ses poings sous le sternum et effectua une pression vers le haut. La poussée débloqua l'œsophage, et Charel put enfin respirer à grandes goulées. Le calme revint peu à peu autour d'eux. L'adolescente offrit un timide sourire de gratitude à Rosa tandis qu'un brin de jalousie aiguillonnait le cœur de Christine.

Décidément, la Navarro l'exaspérait.

La bande de singes moqueurs se dispersa. Contre toute attente, Charel reconnut parmi eux nul autre que Benjamin. Que fabriquait son frère ? Depuis quand pariait-il contre son propre père ? Son mépris de l'autorité paternelle allait-il jusqu'à le condamner publiquement ?

Dix contre un. Cette pitoyable gageure troublait son esprit. Charel avait si mal à la tête qu'elle ne réussit à se concentrer sur aucune des matières présentées pendant l'après-midi. Lors du retour à la maison, ni sa mère ni Benjamin n'ouvrirent la bouche. Au courant de la fameuse rumeur, Éva avait passé une journée exécrable. Et son frère continuait de lire *Les Fourmis* comme si de rien n'était, l'air au-dessus de ses affaires.

Dès qu'elle traversa le seuil de la porte, Charel se précipita au sous-sol où se terrait son père. Elle frappa trois petits coups contre le chambranle. Elle attendit un peu avant de tester la poignée. Verrouillée. Comme toujours.

— Ouvre, s'il te plaît! C'est moi…

Elle colla son oreille contre la porte. Derrière la paroi, rien ne semblait bouger.

— J'ai besoin de te parler, papa.

Quelque chose remua, tout près d'elle. La poignée tourna et elle recula. Le visage vieilli de son père apparut dans l'entrebâillement.

— Je travaille, ma chérie. Reviens plus tard.

— Non, insista la jeune fille. J'ai besoin de te parler maintenant. C'est important.

L'homme hésita.

— Laisse-moi entrer, s'il te plaît.

Il tendit le bras, la repoussa doucement et sortit de son cabinet. Il referma la porte derrière lui. Charel soupira. Elle n'avait jamais vu à quoi ressemblait l'antre secret de son père et elle avait naïvement espéré qu'il ferait, ce jour-là, exception. Ils s'installèrent dans les confortables fauteuils, devant l'écran géant du cinéma maison.

— T'as aucune raison de t'inquiéter, Chachou. Tout est rentré dans l'ordre. C'était un très mauvais rêve. Il faut vite l'oublier maintenant.

Le sourire de son père lui parut un peu forcé. De même que sa voix, mielleuse. Elle le toisa avec insistance, avec méfiance aussi.

Comment pouvait-il dire une chose pareille? Comment pouvait-il en être aussi certain? À moins que les rumeurs fussent vraies... Les autres savaient-ils mieux qu'elle ce qui se passait dans sa propre maison? Cette pensée la fit tressaillir.

— Nous avons doublé les contrôles de sécurité. Il y a rien à craindre.

Elle voulait certes croire que quelque chose d'aussi facile pût exister. Son esprit avait toutefois du mal à le concevoir. C'était trop beau, trop simple pour être vrai.

— T'es sûr qu'il s'agit des Autres?

— Oui, absolument certain.

L'adolescente gigota sur son siège. Son malaise et son scepticisme culminaient. Toute cette histoire de meurtre lui donnait l'impression que son père cachait quelque chose. À sa famille, à sa femme, à ses enfants. Même à la police. Pourquoi donc?

À pas feutrés, Benjamin descendit quelques marches, dans l'escalier situé derrière eux. Il se cacha de son mieux entre les barreaux et écouta la conversation.

— C'est que..., hésita la jeune fille, sur le point de défier son père, il n'y a aucun signe d'effraction...

Le sourire de Robert Martin se transforma en rictus. Les paroles de sa fille retentirent au fond de son crâne comme si elles répondaient, comme un écho lancinant et douloureux, aux suppositions de l'inspecteur Sarto Duquette.

— Est-ce que ça se pourrait que ça vienne de l'intérieur ? suggéra-t-elle d'une petite voix.

— Non, c'est impossible, répondit son père, les mâchoires crispées.

Charel baissa la tête. L'attitude renfrognée de son père n'augurait rien de bon. Elle donnait presque du poids aux rumeurs qui circulaient au Grand Collège d'études internationales.

Robert Martin se resserra davantage contre elle. Il posa sa main, un peu moite, sur celle de sa fille.

— Tu sais très bien que les résidants de Côté Soleil sont triés sur le volet. Notre communauté n'abrite pas de meurtriers. Je te l'assure. Ce serait… trop horrible, trop menaçant aussi. Ça voudrait dire que quelqu'un parmi nous n'est pas ce qu'il semble être, qu'il n'est pas ce qu'il dit qu'il est. Tu te rends compte ?

— Si c'est pas quelqu'un d'ici, alors ça veut dire que ton système a une faille. Et que quelqu'un l'a trouvée.

Piqué au vif, Robert Martin retira aussitôt sa main.

— Non, il n'y a aucune faille.

— Alors comment expliques-tu ce qui s'est produit dans notre jardin, papa ?

Il hésita pendant de longues secondes. Il ne se résignait pas encore à laisser surgir la silhouette d'un complice. Il ne faisait confiance à personne. Surtout pas à sa fille. Elle était trop fragile. Il souhaitait la protéger contre celui qui les avait trahis. Lui avouer l'existence d'un traître habitant parmi eux la plongerait aussitôt dans un état encore plus profond de détresse.

Dans l'escalier, Benjamin attendait avec impatience la réponse de son père. Il s'attendait de sa part à quelque chose de déloyal, de ridicule. À l'image de cette stupide autorité paternelle qu'il lui servait depuis des années. Un sourire diabolique se dessina aux commissures de ses lèvres. Il savourait ce moment inespéré où il devenait le témoin privilégié de la déconfiture, de l'impuissance, de la vulnérabilité de son père. La seule chose que le garçon regrettait, la seule qu'il ne s'admettait pas encore, c'était le départ abrupt et définitif de Kim. Son père avait quelque chose à voir avec ce meurtre crapuleux. Il en aurait mis sa main au feu. Mais pourquoi diable avait-il laissé le corps de sa victime dans leur jardin, au vu et au su de tous? Ça, il ne se l'expliquait toujours pas.

— T'as raison, ma chérie. Il y a quelque chose qui cloche dans cette histoire.

— Et tu sais ce que c'est?

Il se releva et caressa la chevelure de sa fille.

— J'y travaille. À plus tard, ma Chachou.

Tandis qu'il s'enfermait à double tour dans son cabinet privé, Benjamin quitta l'escalier et remonta au rez-de-chaussée. Seule, Charel demeura pensive. Cette conversation ne la rassurait pas. Loin de là.

O

Mercredi 19 avril...

Charel avait besoin de se changer les idées. Elle en avait marre de rester à la maison, à croiser les faces de carême des membres de sa famille. Elle aurait voulu aller dormir chez Christine, mais elle se doutait bien que son amie lui poserait un millier de questions auxquelles elle ne possédait aucune réponse satisfaisante. Alors chez Rosa Navarro? Elle y réfléchit longuement, sans y donner suite. Même si la fille du pasteur se faisait plutôt rassurante, elle n'osait pas encore la considérer comme une véritable amie.

Aussi, lorsque les Etchevarrez l'appelèrent pour lui demander de garder leur petite fille, sauta-t-elle sur l'occasion. Elle mangea une bouchée, attrapa une veste et vola tout de go vers la rue des Rhododendrons.

L'épais fond de teint appliqué sous ses yeux masquait mal les cernes de Jacinthe Etchevarrez. Le puissant éclat émeraude de son regard, de même que sa magnifique crinière rousse, effaçait cependant ce défaut somme toute fort bénin. Sa robe de soirée de paillettes violettes, très cintrée, moulait ses formes étroites, dignes des plus grands mannequins. Elle ne faisait pas ses trente-huit ans et pouvait toujours aspirer à refaire la une des magazines de mode les plus cotés de la planète. Quelques mois encore et sa carrière internationale reprendrait son envol.

— Marguerite n'est pas encore au lit, déclara-t-elle en poussant gentiment Charel vers la salle de jeux. J'espère que ça ne te dérange pas de lui donner son bain et de lui raconter une petite histoire.

— Oh non, pas du tout! Ça va même me faire du bien de m'occuper d'elle.

Jacinthe lui lança un sourire compréhensif. Elle devinait bien l'ampleur du drame que l'adolescente vivait et du choc qu'il avait dû créer.

— J'ai laissé un livre de contes, sur la table de chevet. Laisse-la choisir. Et ne te gêne pas pour changer ici et là des passages. Ça stimule son imaginaire.

— Oui, d'accord.

Yann Etchevarrez arriva dans un complet sombre à la coupe décontractée. Sa chemise de soie ouverte au col, sans cravate, laissait paraître une chaîne en argent. Il avait le front bas, le cheveu dru, un œil légèrement plus haut que l'autre et le nez aquilin. Il n'était pas vraiment beau, mais quelque chose se dégageait de lui. Une sorte de magnétisme puissant. On ne pouvait détacher son regard de sa personne. On se sentait envoûté. Et Etchevarrez usait de son charme naturel pour parvenir à ses fins. Peu savaient lui résister.

— Tu es prête, Jacinthe ?

— Oui. Je viens.

Il embrassa son épouse au creux de l'épaule et sa main droite en profita pour lui caresser une fesse. Charel sourit malgré elle. Un couple amoureux. Un couple toujours en amour malgré plus d'une décennie de vie commune. Cela se pouvait donc ! Elle aurait tant aimé que ses parents ressentent l'un pour l'autre cette passion qui consumait encore les Etchevarrez dans leurs moindres gestes. Hélas ! Elle savait que l'unité familiale tanguait et que le navire allait bientôt chavirer. Un drame n'attendait pas l'autre.

Les Etchevarrez lui donnèrent quelques conseils, la saluèrent, puis s'en allèrent. Charel alla rejoindre Marguerite, à peine âgée de deux ans, qui jouait avec une poupée de chiffon. Sa petite voix d'airain tintait à la manière d'une cloche dans la pièce bondée de jouets. Elle s'inventait un scénario et murmurait une série de mots aux consonances approximatives. Que d'innocence, que de naïveté ! En l'observant à son insu, l'adolescente ressentit une profonde nostalgie. Que n'aurait-elle donné pour retrouver, l'espace d'une heure, d'une minute ou même d'une seconde, l'insouciance de l'enfance, bercée loin des maux du monde ?

— Viens, Chanel !

L'adolescente retrouva le sourire, comme chaque fois que la petite Marguerite tentait de prononcer son prénom de la bonne manière. Elle avait beau le lui faire répéter à maintes reprises, rien n'y faisait. Marguerite s'entêtait à employer le nom de la célèbre couturière française. Sûrement parce que c'était aussi le parfum préféré de sa mère.

Pendant une heure, elles jouèrent ensemble. Elles firent un casse-tête, s'amusèrent à un jeu de mémoire et tentèrent d'échafauder un château de cartes. Marguerite poursuivit ses jeux dans la baignoire, donnant vie à des canards de plastique multicolore qui éclaboussaient les carreaux de céramique. Elle n'opposa aucune résistance lorsque vint le moment de se mettre au lit. Elle enfila un pyjama rose bonbon et se glissa sous la couette. Elle tamisa elle-même la lumière et réclama une histoire. Charel s'y prêta de bonne grâce, heureuse d'oublier les tourments qui l'accablaient depuis quelques jours. Mais lorsque la petite fille ferma les yeux et qu'elle soupira trois fois, l'adolescente fut ramenée vers ses propres cauchemars. Elle posa le livre de contes merveilleux sur la table de chevet et borda Marguerite.

— Fais de beaux rêves, belle princesse.

Elle redescendit le large escalier. Une ombre dansant derrière la grande porte vitrée du hall attira soudain son attention. Sa main se crispa sur la rampe ; elle faillit lâcher un cri de panique.

L'ombre disparut. Elle compta jusqu'à trois et se calma un peu. Ce n'était probablement rien du tout. Que des phares de voitures qui se croisaient dans la rue. Son pied s'aventura sur la marche suivante, et elle regagna l'entrée. Elle lorgna la poignée, la saisit, enleva les loquets de sécurité et ouvrit la porte.

Les lampadaires éclairaient la rue des Rhododendrons. Chaque villa respirait la tranquillité, comme si rien de tragique ne s'était produit, comme si la vie, plus forte que tout, continuait invariablement son cours. Elle aperçut Anita Cohen qui tenait en laisse ses deux lévriers afghans. Les bêtes reniflaient, se redressaient, regardaient autour d'elles, avant de poursuivre leur promenade du soir.

Charel se rassura. Aucun individu ne rôdait devant la résidence des Etchevarrez. Sinon, l'œil perçant de madame Cohen l'aurait aussitôt ciblé. Elle s'apprêtait à refermer la porte lorsque son regard tomba sur une enveloppe, laissée sur le paillasson. Elle se pencha pour l'attraper et la fit tourner entre ses doigts. Elle ne portait aucun nom et n'était pas cachetée.

L'adolescente lança un autre coup d'œil à la ronde avant de refermer la porte. Elle soupesa alors l'enveloppe. Sa légèreté annonçait qu'elle ne contenait pas grand-chose, ce qui piqua davantage sa curiosité. Elle courut s'installer dans la salle familiale et, bien calée dans le canapé, releva le rabat. Elle souffla à l'intérieur et les parois de l'enveloppe s'entrouvrirent. Elle saisit entre son pouce et son index le carton gaufré qui s'y trouvait. Deux phrases étaient inscrites à la dactylo, l'une au recto, l'autre au verso.

Je sais qui tu es
Je sais ce que tu as fait

Charel sentit de nouveau la panique l'envahir. Elle regarda nerveusement autour d'elle. Qu'est-ce que cela signifiait? À qui cette enveloppe s'adressait-elle? Aux Etchevarrez? À elle? Ou bien à quelqu'un d'autre?

Elle humecta ses lèvres soudain asséchées. Elle enfourna le carton dans l'enveloppe et projeta celle-ci sur la table basse, devant le canapé, comme si elle était la proie des flammes.

Je sais qui tu es... Je sais ce que tu as fait...

Se pouvait-il que Rosa ait parlé, malgré la promesse qu'elle lui avait faite? Se pouvait-il que quelqu'un connaisse son secret?

Pas de nom. Pas de timbre. Pas cachetée. Livrée en pleine nuit. L'enveloppe provenait donc de l'intérieur même de Côté Soleil. Et l'on voulait que quelqu'un lise son contenu. Que ce quelqu'un fût son destinataire ou n'importe qui d'autre, cela ne devait pas importer.

Était-ce le *Fantôme* qui récidivait de façon aussi inattendue? Était-ce l'esprit de l'adolescente, troublé par les événements des derniers jours, qui la rendait craintive, voire suspicieuse pour un rien, pour une simple enveloppe laissée sur le seuil d'une maison? Elle décida que oui. Ce ne pouvait être que cela. Le *Fantôme* devait savoir que la sécurité avait été renforcée. Il n'était pas stupide au point de risquer qu'on le surprenne.

Charel porta la main gauche à sa bouche, rongea l'ongle de son majeur. La rognure se détacha et elle la recracha au creux de sa main. Elle referma son poing sur ses tourments. Que devait-elle faire? Ignorer l'enveloppe, la déchirer, la remettre à son père? Les Etchevarrez avaient-ils quelque chose à voir avec le meurtre de Kim Nguyen? Peut-être n'était-ce pas relié du tout…

Elle secoua la tête d'un mouvement sec et inspira profondément. Elle prit une autre décision, celle d'attendre le retour des propriétaires des lieux. C'était chez eux, après tout, que l'enveloppe avait été livrée.

Un léger bourdonnement chatouillait ses oreilles. D'abord lointain, il se rapprochait en s'amplifiant. Aussi le chatouillement se transforma-t-il bientôt en un sifflement agaçant, en une série de chuchotements pleins de colère, de déception, de frustration. Des chuchotements qui n'osaient se dévoiler au grand jour.

Charel ouvrit les yeux. Elle se sentit un peu perdue, puis reconnut la salle de séjour des Etchevarrez. Son regard tomba sur la table basse, au centre de la pièce. L'enveloppe ne s'y trouvait plus. Elle se redressa et tendit l'oreille.

— Je comptais sur ta discrétion ! pesta Jacinthe Etchevarrez, dans la pièce adjacente.

— Je l'ai toujours été ! affirma son époux.

— Alors qu'est-ce que ça veut dire ?

Le silence plana dans la maison. Charel n'osait bouger.

— Ça n'arrivera plus, promit-il.

— Tu sais donc de qui ça vient !

Un ange passa. Ou peut-être un démon.

— Je suis prête à accepter tes écarts de conduite et tes infidélités, Yann. Je le fais d'ailleurs depuis toujours. Mais je ne veux pas entendre parler de ces autres femmes. Sinon je partirai. Avec Marguerite. Avec l'argent. Avec *mon* argent, je te rappelle. Et je t'empêcherai de revoir ta fille pour le reste de tes jours. Tu m'entends ?

Quelque chose se déchira ensuite dans l'air tendu. À trois reprises.

— Oui. C'est promis, Jacinthe.

Toujours tapie dans la salle de séjour, Charel fronça les sourcils. Les infidélités de Yann Etchevarrez ? Avait-elle bien entendu ? Le couple d'amoureux passionnés qui se pelotaient en public… Tout cela n'était donc que de la frime ! Qu'une façade !

Des pas vinrent dans sa direction et l'adolescente se rabaissa en vitesse sur le canapé, feignant de dormir. Lorsqu'on la tira de son faux sommeil, elle ne vit que Yann Etchevarrez qui lui expliqua, avec un sourire enjôleur et une voix mielleuse, que son épouse, très fatiguée, était montée immédiatement se mettre au lit. Il la remercia, lui glissa un généreux billet de cent dollars dans la main et la poussa vers la sortie.

Dans l'entrée, elle aperçut les lambeaux de l'enveloppe maudite, éparpillés sur le sol. Elle se félicita de ne pas avoir alerté son père pour une simple histoire de querelle domestique.

6

LES FAUSSES APPARENCES

Jeudi 20 avril…

Charel déambulait dans les méandres de l'école secondaire de la Miséricorde. Elle tentait d'ignorer les murs recouverts de graffiti et les déchets qui s'amoncelaient sur le sol, devant les casiers qui bordaient les corridors. Elle surveillait les alentours avec anxiété, de peur de voir Kim Nguyen surgir du néant de la mort.

La cloche annonçant la fin de la journée retentit. Aussitôt, un puissant remue-ménage s'opéra. Des cris de joie éclatèrent, des chaises crissèrent sur le linoléum, les portes s'ouvrirent toutes grandes et les classes déversèrent une cohue indisciplinée d'élèves qui se bousculaient vers les escaliers, à chaque bout des corridors. L'adolescente, elle, se fraya du mieux qu'elle put un chemin à contre-courant pour regagner l'étage supérieur où elle animait une séance d'aide aux devoirs.

Lorsqu'elle y arriva, le local était encore vide. Les élèves de la Miséricorde n'appréciaient guère que des enfants de riches viennent faire leur bonne action auprès d'eux. Même si Charel faisait preuve d'une patience angélique et d'une gentillesse exemplaire, les bénéficiaires du projet prenaient un malin plaisir à la faire poireauter. Alors elle prit la place de l'enseignant, sur la tribune, et attendit. Peu à peu, des bruits de pas envahirent le corridor et s'amplifièrent. Ils arrivaient. Elle soupira de soulagement.

À la tête du peloton se tenait Yssa Victorin. Charel retint son souffle. Ses yeux papillotèrent. C'était la première fois qu'elle revoyait la jeune créatrice de bijoux depuis le meurtre de son petit ami. Non sans une pointe de malaise dans la voix, elle salua le groupe. Les élèves s'installèrent et se mirent à la besogne. Ils travaillèrent sans rouspéter. Celle-ci eut tout le loisir d'observer Yssa alors qu'elle terminait ses devoirs de mathématiques. Elle chercha sur son visage les traces du désarroi. En vain. La jeune fille semblait dans un autre monde, étrangère à son entourage, à ses propres émotions.

Un élève s'aperçut de l'intensité du regard que portait Charel sur sa compagne. Il émit un léger claquement de la langue et Yssa releva la tête vers lui. Du bout du menton, il indiqua l'avant de la classe. Charel détourna aussitôt son attention vers la fenêtre. Pendant un long moment, elle parut absorbée par la pluie qui tambourinait contre les carreaux fissurés. Mais au fond d'elle, les questions fusaient pêle-mêle. Comment Yssa réussissait-elle à cacher ses sentiments ? Pourquoi son trouble ne transparaissait-il pas au grand jour ? Avait-elle vraiment aimé Kim Nguyen ? Pourtant, ils étaient presque toujours ensemble et elle les avait vus maintes fois en train de s'embrasser... Même un ami se montrerait touché par le drame. En tout cas, plus qu'Yssa. Sans doute n'était-ce qu'une façade...

Le temps s'égrenait lentement. Charel ne savait plus où poser le regard, craignant chaque fois de croiser celui d'Yssa. Le malaise croissait en elle. Son cœur battait de plus en plus vite. Il fallait qu'elle lui parle. Sans doute pourrait-elle en apprendre davantage sur les escapades de Kim dans le quartier. Peut-être qu'Yssa savait de quelle façon il s'y prenait. Aussi se mit-elle à chercher une façon de garder la jeune fille dans la classe après l'heure d'aide aux devoirs.

La cloche de dix-sept heures sonna la fin de la séance. Les élèves plièrent bagage en moins de deux. Et Yssa disparut, escortée de ses camarades. Charel venait de manquer sa chance de s'entretenir avec elle. Elle ramassa ses affaires et quitta à son tour la salle. Dans le corridor, au-dessus d'elle, le néon cilla. Elle accéléra le pas pour ne pas se retrouver dans l'obscurité qui menaçait de tomber sur elle.

— J'ai rien à te dire.

Charel se retourna en sursautant, la main sur sa poitrine. Yssa avança tranquillement vers elle. Son regard de marbre lui donna froid dans le dos.

— Je... t'ai rien demandé...

— J'ai rien à te dire. Parce que je sais rien. Est-ce que c'est clair ?

Charel acquiesça. Elle leva cependant la main pour retenir Yssa qui tournait les talons.

— Pourquoi es-tu si... Je... Je t'ai rien fait.

La vendeuse de bijoux fit volte-face et l'observa de la tête aux pieds. Un torrent de larmes jaillit au bord du précipice de ses cils, jetant une brillance inattendue sur ses prunelles. Elle inclina la tête, respira avec difficulté. Pendant un bref instant, elle vacilla. Charel la retint de justesse.

— Viens t'asseoir, souffla-t-elle.

Elle la reconduisit dans la classe et installa Yssa sur le coin du premier pupitre. La belle mulâtre renifla un bon coup. Lorsqu'elle redressa la tête, une larme s'échappa et roula sur sa joue hâlée.

— Dis-moi juste que c'est pas ton père.

Charel entrouvrit la bouche pour aspirer une plus grande goulée d'air. Comment certifier une chose qu'elle ignorait ?

— Pourquoi voudrais-tu que ce soit lui ?

— Parce qu'il avait menacé Kim, deux jours avant...

La fille de Robert Martin encaissa la révélation en tentant de garder son sang-froid.

Pourtant, la moindre parcelle de son être trem-blait. Sa confiance, son amour, son innocence. Du coup, elle n'était plus certaine de rien.

— Sais-tu pourquoi il a fait ça?

Yssa essuya la larme qui atteignait presque la commissure de ses lèvres.

— Parce qu'il s'aventurait dans votre quar-tier. Ton père l'avait capté, sur une vidéo. L'image était floue, mais il était persuadé que c'était Kim.

— C'est ridicule, Yssa. On commet pas un meurtre rien que pour ça. Et puis, il l'aurait pas laissé dans notre jardin. Il sait qu'il aurait été le premier suspect de la liste.

Yssa prit quelques secondes afin de mieux réfléchir. Pour la première fois depuis la fin de semaine, les émotions qu'elle tentait de refou-ler jaillissaient sans qu'elle pût les endiguer.

— Tu comprends pas. Ton père, c'est… c'est une sorte de xénophobe, un Hitler nou-veau genre.

Charel écarquilla les yeux de surprise. Yssa enchaîna:

— Il veut créer un monde parfait. Et il le fait sur la base de deux seules valeurs: l'argent et la gloire personnelle. C'est devenu sa race aryenne à lui. C'est un élitiste, tu sais. Un obsédé.

— Ça fait pas de lui un meurtrier, conclut Charel d'une voix sèche.

Yssa renifla encore.

— Kim n'aimait pas ton père. C'est pour ça qu'il voulait le faire chier, tu comprends ? Pour lui montrer qu'il se trompait. Que ça sert à rien de faire tout ce qu'il fait.

— Et de quelle façon parvenait-il à entrer ?

— Avec l'aide d'un complice. J'ignore de qui il s'agit, mais Kim m'a dit qu'il habitait parmi vous.

— Est-ce que tu l'as dit aux policiers ?

— Bien sûr.

Charel médita les dernières paroles. Elle comprenait mieux l'attitude casanière et désespérée de son père. Un complice de l'intérieur. Bon sang ! Comment cela se pouvait-il ? Qui était donc celui qui avait déjoué la sécurité mise en place par son père, qui avait trahi ses concitoyens en menaçant de rompre l'harmonie qu'ils payaient si chèrement ? Cela voulait-il dire qu'on ne pouvait se fier à personne ? Les infidélités de Yann Etchevarrez en constituaient une triste preuve. Et son père devait penser exactement la même chose.

Les Kapoor désiraient parer leur maison de nouvelles plates-bandes pour l'été qui s'en venait à grands pas. Plan à la main, le concepteur de l'aménagement paysagé allait et venait sur le parterre. Il vérifia une dernière fois la commande reçue de la pépinière et commença à disposer, dans un ordre bien précis, les mottes d'arbustes et de fleurs à transplanter dans le sol.

Il prit un peu de recul pour visualiser ce que sa création donnerait. Monsieur Kapoor lui présenta Daniel Cohen. L'artiste végétal ignora le garçon.

— C'est donc lui.

— Oui, fit monsieur Kapoor.

— J'espère qu'il sait ce qu'il fait, au moins.

— Oui, reprit monsieur Kapoor, d'un sourire imperturbable. Il a travaillé chez mes voisins et tous me l'ont chaudement recommandé.

L'homme continua de snober Daniel.

— Je vous préviens, mon cher, que mes employés ne viendront pas réparer ses éventuelles bévues.

— Il n'en fera pas, prophétisa monsieur Kapoor de sa voix au fort accent.

— Dans ce cas, je vous donne le bonjour.

Et l'artiste s'éloigna, amenant avec lui, dans sa camionnette, sa frustration. *Les riches, tous les mêmes !* pestait-il en son for intérieur. *Ils possèdent des maisons valant des millions, mais rechignent lorsque vient le moment de payer une couple de milliers de dollars pour un travail de qualité effectué par des professionnels.* Son véhicule démarra sur les chapeaux de roues.

De son côté, monsieur Kapoor sourit. Daniel ne lui coûterait rien. Pas un cent. Le garçon faisait toujours tout gratuitement. Allait-il passer à côté d'une économie, aussi infime fût-elle? En quittant son village natal, non loin de Jaffna, cinquante ans plus tôt, son grand-père lui avait donné un conseil: *il n'y a pas de miracle, si tu veux t'enrichir, réduis tes dépenses et augmente tes revenus, et tente de faire les deux en même temps le plus souvent possible.* Et l'immigrant avait mis en application ce judicieux conseil dès que l'occasion se présentait. Qui plus est, il préférait donner la sous-traitance à un résidant de Côté Soleil, plutôt que de faire intervenir quelqu'un de l'extérieur même si les employés du paysagiste avaient été contrôlés par les sbires de Robert Martin. Avec ce qui venait de se passer, il ne voulait courir aucun risque inutile.

Il donna une petite tape sur l'épaule de Daniel et celui-ci se mit à la besogne. D'un rythme cadencé qui ne ralentissait jamais, le garçon exécuta les travaux. À toutes les heures, il prenait des micropauses, avalant chaque fois un litre d'eau. Il creusa d'abord tous les trous dans lesquels il devait engouffrer les grosses mottes de racines et de terreau. Puis il saupoudra le fond de compost et y déposa les arbustes et les petits plants de vivaces déjà éclos.

Sur le côté de la maison, il planta un sureau au feuillage jaune doré qui ne manquerait pas, grâce à sa vigueur et à sa croissance rapide, de fermer l'accès au jardin. De part et d'autre du porche, il camoufla les fondations de la maison avec une multitude d'hydrangées aux pompons de couleurs variées.

Enfin, il s'attaqua à la butte de terre en bordure de la rue et la ceintura de pierres des champs. À l'extrémité la plus élevée, il planta un saule maculé au port arrondi garni d'un feuillage vert et crème. Il l'assujettit à un solide tuteur. Au pied de l'arbrisseau, il sema en cascade, vers l'extrémité inférieure du talus, et des plus hautes aux plus discrètes, des plantes vivaces telles que des astilbes, des pieds-d'alouette, des chrysanthèmes, du muguet et des pâquerettes.

À la fin de l'après-midi, monsieur Kapoor put admirer le résultat, très agréable à l'œil et déjà très prometteur pour les années à venir, malgré l'aspect encore chétif des arbustes. La symphonie de couleurs lui rappela l'éclat de son pays d'origine.

— Beau travail, mon garçon!

— Il ne reste plus qu'à arroser et le tour est joué, annonça fièrement Daniel.

— Tu es certain que tu ne veux rien du tout? Pas même… quelque chose de symbolique?

— Non, fit Daniel en souriant. Ça me fait plaisir.

— Eh bien! À moi aussi, ça me fait plaisir! Mais je trouverai bien quelque chose pour te remercier, va!

Le garçon haussa les épaules. Il attrapa le boyau d'arrosage, puis aspergea abondamment chaque végétal qu'il venait de mettre en terre. Lorsqu'il referma le robinet, il aperçut Charel qui marchait dans sa direction. Il essuya d'une main nerveuse son pantalon, comme s'il croyait le nettoyer par ce seul geste, et tenta de mettre de l'ordre dans sa crinière hirsute.

— Salut, lui lança-t-elle d'un air timide.

— Salut, ça va?

Elle se contenta de faire la moue.

— J'ai décidé de fuir les mauvaises langues du collège. Et de travailler un peu, histoire de chasser les idées noires.

— Et ça marche?

— Non, pas vraiment, confessa-t-il.

Il enroula le boyau d'arrosage autour de son support et le fit disparaître à l'intérieur du garage double.

— Tu voudrais aller au cinéma, ce soir, lui proposa-t-il.

— Non, je peux pas. Je garde la fille des Etchevarrez. Mais peut-être demain…

— Oui, demain.

Ils demeurèrent un long moment sans broncher, intimidés par leur présence, par leurs souvenirs, par ce premier baiser qui tardait tant à venir. Finalement, il s'approcha d'elle et l'embrassa prestement sur la joue. Charel esquissa un sourire confus avant de s'éloigner.

En route vers la résidence des Etchevarrez, elle essuya les larmes qui inondaient ses prunelles noisette. Pourquoi fallait-il que leur histoire d'amour commence aussi mal? Quelqu'un avait-il une réponse à lui fournir? Elle souhaitait comprendre. Juste un peu.

Pour le deuxième soir consécutif, Charel se rendit donc chez les Etchevarrez afin de garder leur fille. À son arrivée, elle jeta un coup d'œil craintif au couple. L'homme et la femme jouaient aux amoureux éternels. Il régnait malgré tout une tension dans l'air. Aussi se réfugia-t-elle immédiatement dans la salle de jeux pour retrouver la naïveté de son enfance envolée.

Ce soir-là, pourtant, ni la présence de la bambine, ni ses rires enjoués, pas plus que ses mimiques loufoques ne lui procurèrent l'antidote escompté. Car le comportement de l'enfant différait de celui de la veille. Marguerite avait les yeux bouffis d'une petite fille qui avait passé sa journée à pleurer. Elle brusquait le moindre jouet, refusait chacune des propositions de sa gardienne, criait sans cesse ou faisait la moue. Lorsque Charel voulut la coucher, la petite afficha son mécontentement en lui mordant le bras. À croire que son jeune âge ne la mettait pas à l'abri des problèmes de couple de ses parents, ni des bouleversements qui sévissaient dans son entourage.

Finalement, l'enfant s'endormit dans les bras de sa gardienne, qui l'avait bercée pendant deux bonnes heures. Excédée, Charel glissa le petit corps sous la couette et quitta la chambre en se massant les tempes. Elle se versa un grand verre d'eau qu'elle avala d'un trait. Elle s'apprêtait à s'installer dans la salle de séjour pour se reposer lorsque la sonnette retentit. Elle se précipita afin d'ouvrir la porte pour empêcher le visiteur de récidiver et de réveiller Marguerite. Pourtant, il n'y avait personne. Elle lança un coup d'œil intrigué à droite, puis à gauche. Rien. C'est alors qu'elle la vit. Semblable à celle de la veille. Là, sur le sol, une autre enveloppe la narguait. Elle se crispa.

Dans la rue, les pattes griffées d'Arielle et de Vincent résonnèrent sur le bitume de la chaussée. Anita Cohen marchait à petits pas derrière eux. On aurait dit que c'était elle qu'ils maintenaient en laisse, et non le contraire.

— Bonsoir, madame Cohen !

La vieille dame releva le menton. Son visage se durcit lorsqu'elle reconnut l'adolescente. Elle se contenta de la saluer de la main et de suivre son chemin. Charel s'avança néanmoins vers elle, sur le parterre gazonné, pour l'interrompre de nouveau.

— Dites-moi, auriez-vous vu quelqu'un ?

— Mais, ma petite, ironisa la femme en grimaçant, je vous vois *vous*.

— Non, je veux dire…

Que voulait-elle dire au juste ? Que cherchait-elle ? Charel l'ignorait. Elle dévisagea la vieille femme, à la recherche de ses mots, de sa lucidité. La présence glaciale de la grand-mère de Daniel lui faisait perdre contenance.

Anita Cohen s'amusait ferme. Elle releva le sourcil d'un air supérieur. Comme la suite ne venait pas, sa langue claqua, et les lévriers se remirent en route. Elle tourna le dos à l'adolescente et la laissa plantée là, au beau milieu de la nuit. Elle n'avait pas de temps à perdre avec des petites gosses de riches qui ignoraient tout du mal que leurs parents s'étaient donné pour réussir dans la vie, pour se tirer de leur misère. Elle pouvait bien plaire à Daniel, la Martin. Il lui ressemblait, le bougre! Et ni l'un ni l'autre ne méritaient qu'elle s'occupe d'eux.

Charel la regarda s'éloigner sans comprendre, bien sûr, la raison de cette indifférence, de cette animosité que la femme prenait plaisir à étaler. Elle croyait plutôt que madame Cohen ne la jugeait pas assez bien pour son petit-fils, étant donné qu'elle n'était pas juive.

Elle retourna vers la maison et hésita un long moment avant de récupérer l'enveloppe. Lorsqu'elle la prit, elle s'aperçut tout de suite qu'elle était plus épaisse que celle de la veille. Encore une fois, elle ne portait aucun nom, aucun timbre. Et elle n'était pas cachetée. Elle se doutait bien que ça devait être la suite du premier message. Certainement une preuve que quelqu'un dans la communauté savait qui était Yann Etchevarrez et ce qu'il avait fait.

— Des photos, souffla-t-elle.

Ça ne pouvait être que cela. Des photos de Yann et de ses infidélités. Dégoûtée, Charel se refusa cette fois à ouvrir l'enveloppe. Ça ne la regardait pas, cette histoire. Elle savait désormais à qui s'adressait la correspondance anonyme. À nulle autre que Jacinthe. Elle provenait sûrement d'une pauvre femme éconduite qui, fatiguée de grappiller de rares moments avec son amant, souhaitait l'avoir tout à elle à ses côtés et prenait les grands moyens pour briser non seulement un couple, mais aussi une famille. Elle se demanda alors si elle ne devait pas détruire l'enveloppe pour éviter de blesser davantage le mannequin qui se relevait mal d'une récente dépression nerveuse.

À peine avait-elle refermé la porte derrière elle qu'elle entendit une voiture rouler dans l'entrée pavée. Une portière claqua puis, quelques secondes plus tard, elle se retrouva nez à nez avec Jacinthe Etchevarrez. Seule.

— Je suis revenue plus tôt, prétexta-t-elle avec un petit sourire qui masquait mal le mensonge. J'ai un terrible mal de tête. Tiens, c'est pour toi.

Elle tendit un billet de cinquante dollars et vit, au même moment, l'enveloppe dans les mains de l'adolescente. Du coup, son sourire factice disparut.

— Qu'est-ce que c'est?

— Je sais pas. Je viens de la recevoir.

— L'as-tu... ouverte? demanda la femme avec des trémolos dans la voix.

— Non, madame Etchevarrez.

— Et celle d'hier? L'avais-tu…

Charel répondit du tac au tac:

— Non plus!

Jacinthe Etchevarrez saisit l'enveloppe du bout des doigts et la soupesa d'un air méfiant.

— Si vous n'avez plus besoin de moi, je prends mon sac et j'y vais, se dépêcha d'ajouter l'adolescente pour prendre congé au plus vite.

Jacinthe l'entendit à peine, tant le contenu de cette chose malsaine qui troublait son bonheur obnubilait son esprit. Elle aussi, au toucher, remarqua son épaisseur. Elle aussi songea aussitôt à des photos compromettantes. Combien y en avait-il? Yann s'y trouvait-il en compagnie de la même femme, ou bien au bras de différentes maîtresses? Et dans quelles positions obscènes? La femme cocue désirait-elle vraiment être témoin de la vulgarité de celui qui partageait sa vie et qui était par surcroît le père de son enfant adorée?

Charel disparut dans la salle de séjour et, sac à la main, se pressa d'en ressortir. Un bruit de fracas arrêta net son élan.

Jacinthe Etchevarrez gisait sur le sol. Les éclats de verre d'un vase de cristal ornant peu de temps plus tôt la console s'éparpillaient autour d'elle. Le bouquet de coquelicots s'était défait et l'eau du vase mouillait la chevelure de la femme inconsciente.

— Madame Etchevarrez? murmura l'adolescente d'une voix inquiète. Jacinthe? Est-ce que vous vous êtes fait mal?

Aucune réponse. Alors elle s'approcha avec circonspection. Les tessons crépitaient sous la semelle de ses chaussures. Au bout de la main gauche de la femme, elle vit l'enveloppe. Des photos en sortaient. Tétanisée, Charel sentit une lame froide transpercer son ventre.

Sur les cinq clichés, l'on voyait Yann Etchevarrez qui enlaçait Kim Nguyen!

7

LES PHOTOS COMPROMETTANTES

Sarto Duquette se renfrogna. Celui qu'il interrogeait pour la énième fois depuis cinq jours ne se montrait guère plus coopératif. Réponses lapidaires, regards francs, pour ne pas dire hautains, Robert Martin demeurait inflexible. Il ne voulait rien dire au sujet de Kim Nguyen, ni de la communauté. Et il n'était pas question de faire perdre son temps à son avocat, qui avait bien d'autres chats à fouetter.

L'inspecteur l'avait forcé à lui ouvrir les portes du bunker d'où le président de *Future Engineering* pouvait surveiller les allées et venues des résidants. Les bandes vidéo ne révélaient rien, pas plus que les lecteurs d'identité. Tout semblait en ordre. Comment diable quelqu'un avait-il pu faire entrer la victime? Martin aussi voulait le savoir.

— Pourquoi tu t'entêtes comme ça, Robert? Tu vois pas que ça risque de te retomber dessus? T'as aucun alibi et...

— Tu crois peut-être que j'aurais laissé le corps dans mon jardin, pour m'incriminer moi-même? Voyons! Je suis plus intelligent que ça!

— L'arrivée de ta fille et de son petit ami aurait pu miner ton plan.

Robert Martin releva les sourcils d'un air étonné. N'importe quoi! Ce Duquette de merde inventait n'importe quoi pour faire avancer une enquête qui piétinait. Son patron voulait un coupable à tout prix. Et vite! C'était clair comme de l'eau de roche. Alors l'inspecteur tirait sa ligne, à droite et à gauche, pour voir si ça mordrait.

— L'habit ne fait pas le moine, déclara-t-il simplement.

L'hilarité soudaine de Sarto Duquette explosa dans la pièce. Il se tapa la cuisse droite en basculant contre le dossier du fauteuil. Robert Martin l'observait d'un air dubitatif. Après plusieurs secondes de rire sincère, l'inspecteur se calma en secouant la tête. Ses doigts tambourinèrent sur l'accoudoir d'acajou.

— Tu te rends compte de ce que tu viens de dire, Robert?

Martin baissa les yeux, puis grimaça. En effet, il était bien placé pour savoir qu'il ne fallait pas se fier aux apparences. La présence d'un éventuel complice de Kim Nguyen à l'intérieur même de leur petite société donnait du crédit au proverbe. Mais en enlevait beaucoup à la réputation de l'ingénieur en informatique. Et à celle de Côté Soleil.

— J'imagine que si tu t'acharnes sur moi, c'est parce que les résultats du labo n'ont rien donné.

— C'est vrai, confirma Duquette. Pas la moindre trace d'empreinte fichée sur le corps de la victime. Heureusement pour toi… J'ai l'intention de faire une petite visite de courtoisie à tes concitoyens. Combien sont-ils au juste ?

— Quatre cent onze.

Sarto Duquette émit un sifflement d'admiration. La procédure tiendrait ses hommes occupés pendant au moins trois jours, voire cinq s'ils n'obtenaient pas la collaboration de chacun.

— Ça sert à rien d'embêter ceux qui brillaient par leur absence au moment du meurtre, pas vrai ?

— T'oublies le complice. Qui sait ? Il y en a peut-être plusieurs… Dans la même famille… Faut pas se fier aux apparences, pas vrai ? Je veux tout le monde, Robert. Est-ce que c'est clair ?

Le ton avait changé. Robert Martin n'eut pas le temps de riposter que des éclats de voix provinrent du hall. Les deux hommes reconnurent sans difficulté la mère et sa fille qui discutaient. La première tentait d'empêcher la deuxième de faire irruption dans le salon fermé. La porte de la pièce s'ébranla néanmoins, puis Charel apparut. Elle ignora complètement l'inspecteur de police et se dirigea vers son père.

— Je dois te parler immédiatement.

— L'inspecteur Duquette était justement sur le point de nous quitter.

Elle tourna la tête vers l'homme qui s'était remis sur pied. Il était à peine plus grand qu'elle. Elle le salua d'un bref signe de la tête.

— Non, affirma-t-elle. Il peut rester. Ça concerne son enquête.

Robert Martin eut du mal à réprimer sa frustration. Il aurait préféré que sa fille le mette au courant avant l'inspecteur. L'adolescente prit une grande inspiration et se lança :

— Je crois que vous pouvez considérer Yann Etchevarrez comme un suspect potentiel, inspecteur. Et lâcher un peu mon père…

Sarto Duquette plissa les yeux, tandis que Robert Martin hésita entre un sourire complaisant et l'étonnement total.

— Etchevarrez ? articulèrent-ils en chœur.

Cette fois, ce n'était plus une simple histoire d'infidélités. La présence de Kim, sur les clichés, laissait présager quelque chose de pire encore, de plus sournois. Charel croyait détenir la preuve qui innocenterait son père. *Une preuve en béton*, pensait-elle. Alors elle tira de sa poche une photo qu'elle tendit d'abord à son père. Duquette dut se rapprocher pour étudier le cliché.

Robert Martin respira un peu mieux, heureux de constater que Duquette avait dès lors un autre suspect à se mettre sous la dent.

L'inspecteur devrait travailler un peu plus dur pour assouvir son désir de vengeance.

○

Éva Martin monta l'escalier avec mille précautions. La robe de lait mousseux qui garnissait le bol de chocolat chaud menaçait, à chacun de ses pas, de se répandre sur le bois des marches. Elle parvint enfin au premier étage. Elle contourna la rampe et mit le cap sur la chambre de sa fille.

Charel venait de sortir de la baignoire. En peignoir, les cheveux mouillés, elle était assise sur le bord de son lit, pensive. L'air un peu apeuré, aussi. Ses orteils droits empiétaient sur ceux de gauche. Elle s'agrippait à la couette, légèrement penchée en avant, comme si elle s'apprêtait à plonger dans un vide qu'elle seule voyait.

— Bois ça, dit sa mère en pénétrant dans la chambre. Ça va te faire du bien.

L'adolescente obéit à contrecœur. Néanmoins, le liquide chaud coula en elle et lui procura un éphémère réconfort. Éva s'installa à ses côtés et encercla de son bras droit les épaules de sa fille aînée.

— J'ai l'impression que le mensonge réside partout autour de nous, chuchota l'adolescente.

— C'est pour cette raison que nous sommes venus habiter ici, pour le tenir éloigné de nous.

— Mais ça marche pas ! se récria l'adolescente. Ça marche pas ! Tu vois pas ?

La femme baissa la tête, incapable du moindre mot. Tant d'efforts pour se prémunir des mauvaises intentions des autres, tant d'essais, d'études et de recherches… Tant d'énergie pour rien. Au bout du compte, il n'existait rien d'autre qu'une parfaite et vaine utopie. La détresse et le désarroi de son époux devaient culminer, à cette même heure.

— Tu t'imagines, maman ? Lui, un pédophile…

— Attendons d'abord d'avoir sa version des faits, veux-tu ? Et cela ne doit pas sortir d'ici. Tu entends ? Pas pour l'instant.

— Mais il vit là, à côté de nous. Ça te choque pas ?

Éva serra légèrement le poing. Ce qu'elle éprouvait au plus profond d'elle était bien pire encore, bien plus confus que la simple colère. Elle n'arrêtait pas de retourner dans son esprit la même sombre pensée : Etchevarrez aurait pu s'en prendre à ses enfants ! Juste pour ce sentiment nouveau qui s'éveillait soudain en elle, pour cette crainte insoupçonnée qu'un voisin venait de semer dans son cœur de mère, elle le détestait, elle l'exécrait, elle le honnissait.

— Pourquoi a-t-il tué Kim ?

— Ne saute pas trop vite aux conclusions, ma Chachou, conseilla Éva, prudente. Ce n'est qu'une photo…

— Kim a peut-être refusé ses avances.

Les deux femmes se retournèrent vers la porte. Benjamin, appuyé contre le chambranle, les observait en silence depuis un bon moment déjà.

— Ou Etchevarrez avait peur qu'il révèle à son entourage qui il était, ajouta-t-il.

Charel demeura pensive tandis que son frère s'avançait à son tour. Il tira une chaise et s'y installa à califourchon. Du coup, il s'imagina au milieu d'un conseil de famille réuni contre l'autorité paternelle.

— Est-ce que c'est vraiment Etchevarrez? demanda-t-il.

— En tout cas, prétendit Charel, la photo le montre dans une situation très… délicate.

Benjamin se mordit l'intérieur de la joue. Il porta son regard vers la table de chevet.

— Alors c'est pas papa…

— Qu'est-ce que ça veut dire, Ben? s'offusqua sa sœur. On dirait que ça t'aurait fait plaisir qu'il soit un meurtrier!

— Non, non… Je veux dire… Bien sûr que non, voyons!

— Je sais que ton père ne fait pas toujours, ne dit pas toujours ce que toi, tu voudrais, Ben, souffla sa mère. Mais il n'a pas tous les torts pour autant.

Le garçon grimaça.

— Alors tu prends sa défense!

— C'est mon mari et je lui dois…

— Arrête un peu, maman, lança Benjamin. Il y a personne qui te croit, ici. Charel et moi, on sait bien que ça marche plus, vous deux.

Éva baissa le front. Elle aurait voulu garder le secret, mais elle ne voulait rien nier non plus. Son couple allait à la dérive. Malgré ses constants efforts, ses petites attentions, Robert ne voyait pas la peine qu'elle ressentait. L'homme en lui ne voyait plus, ne désirait plus la femme en elle. Pourtant, elle attirait encore les regards et les compliments. Elle aurait tellement souhaité qu'ils viennent de son époux.

— C'est vrai que votre père et moi, ce n'est plus comme avant, mais ce n'est pas le moment de se monter les uns contre les autres. Il faut rester unis. Et je ne veux plus rien entendre. Tu m'as compris ?

Pour un premier conseil de famille contre son père, c'était manqué. Benjamin, qui avait cru que sa mère se rangerait naturellement de son côté, s'était amèrement trompé. Alors il sut qu'au-delà du ressentiment, elle l'aimait toujours. Et il ne faudrait pas non plus compter sur Charel. Elle idéalisait son père et prenait toujours sa défense.

Benjamin se sentit seul. Terriblement seul. Envers et contre tous.

L'inspecteur Duquette se présenta à la résidence des Etchevarrez. Il frappa à deux reprises, puis actionna la sonnette. Aucune réponse. Il redescendit le petit escalier du porche et se planta devant l'immense baie vitrée du salon. Une lumière éclairait faiblement la pièce. Il s'étira le cou pour mieux voir. Rien ne bougeait. Il revint vers la porte. Sa main gauche la repoussa en douceur tandis que la droite toucha la crosse de son arme.

À trois enjambées de lui, seules quatre photos traînaient sur le sol couvert d'éclats de verre et de fleurs éparpillées. Pas de trace de Jacinthe Etchevarrez. Il les ramassa et les étudia. Elles avaient été prises de nuit, près d'un taillis. Il se prit une note mentale : *aller voir du côté du parc*. À quand remontaient-elles ? Quelques minutes avant le meurtre ? Ou longtemps avant ? Qui donc avait fait ces clichés ? En se posant cette question, Duquette grimaça. Quelqu'un d'autre était au courant, mais préférait rester dans l'ombre. Sans doute espérait-il faire chanter Etchevarrez et ramasser un joli magot en échange d'informations gênantes. Il glissa les éléments de preuve dans la poche de sa veste et inspecta ensuite les pièces du rez-de-chaussée. Personne. Il décida de monter à l'étage.

Il enjamba les marches quatre à quatre. Son souffle ne s'accéléra même pas. Il courait dix kilomètres chaque matin depuis plus de treize ans. Depuis qu'il avait arrêté de fumer. Depuis qu'il avait appris que sa femme allait mettre un enfant au monde.

Il jeta un coup d'œil dans les six pièces qui s'offraient à lui. Il découvrit la petite Marguerite qui dormait à poings fermés dans son lit garni de barreaux. Une foule de souvenirs refit surface dans la mémoire de l'inspecteur. Il revoyait sa propre fille, au même âge, riant et réclamant des histoires. Du coup, il aurait aimé que la princesse assoupie devant lui fût sa fille, il aurait voulu remonter les années et la prendre dans ses bras, juste pour savourer encore ce sentiment de plénitude. Bon sang ! Le temps passait si vite. Il secoua la tête et revint à son enquête.

Il trouva le célèbre mannequin international dans la pièce suivante. Jacinthe Etchevarrez dormait, échouée sur le lit de ses peines conjugales, les pieds dans le vide. Son manteau la revêtait toujours. Une bouteille de vodka, ouverte, à moitié vide, trônait sur la table de chevet. En expert, Duquette chercha dans les parages des flacons de barbituriques. Il y en avait bien une dizaine, dans la luxueuse salle de bains qui jouxtait la chambre des maîtres, mais ils étaient sagement alignés sur la tablette de la pharmacie. Malgré son désespoir, Jacinthe Etchevarrez semblait n'en avoir pris aucun. Il revint sur ses pas et tâta le pouls de la femme. Lent et régulier. *Tant mieux*, se dit-il, rasséréné.

Et il la laissa à sa fugace évasion. Le lendemain serait d'une douleur sans nom.

Il redescendit au rez-de-chaussée. Il hésita un instant. Que devait-il faire ? Attendre le retour de celui qu'il lui tardait d'interroger, ou bien s'en aller pour revenir plus tard ? Il n'eut pas le temps de répondre à ses propres questions.

Sarto Duquette ressemblait bien plus à ceux qu'il avait coutume de pourchasser qu'à un inspecteur de police. À croire qu'à force de côtoyer les voyous, d'essayer de penser comme eux pour les appréhender et les mettre à l'ombre, il avait fini par adopter certaines de leurs attitudes. Déformation professionnelle, probablement. Aussi, lorsque Yann Etchevarrez l'aperçut dans sa propre maison, se mit-il à paniquer, à imaginer qu'il s'agissait d'une violation de domicile. Il chercha des yeux un objet pour s'en saisir et se défendre, mais ne trouva rien. Alors le policier en civil exhiba son insigne.

— Je suis l'inspecteur Sarto Duquette. J'enquête sur le meurtre du jeune Kim Nguyen.

L'homme se figea. Il regarda la porte, sans la refermer. Duquette en conclut qu'il n'était pas le bienvenu et que son hôte avait l'intention de se débarrasser de lui au plus vite.

— Vous travaillez tard, inspecteur.

Duquette reconnut de suite en Etchevarrez le parfait salaud qui tente de se montrer au-dessus de tout, surtout de la loi. Son arrogance, sa manière de le jauger, sa fausse assurance… Tout le trahissait. Mais il lui fallait des preuves plus solides que son seul instinct, aussi aiguisé fût-il.

— Pourrais-je vous poser quelques questions, monsieur Etchevarrez ?

— À quel sujet ?

Duquette esquissa une risette. Le suspect se comportait comme un vrai con. Ne le voyait-il pas ?

— Au sujet de Kim Nguyen, bien sûr.

— Je ne sais vraiment pas ce que je pourrais vous dire, inspecteur. Je ne le connaissais pas.

— Vraiment ?

— Oui, vraiment. Si ça ne vous dérange pas, il se fait tard et je tombe de sommeil. J'ai eu une rude journée. Couronnée d'une soirée pénible.

Il indiqua à Duquette la porte béante. L'inspecteur ne bougea toutefois pas d'un iota.

— Le problème, c'est que j'ai en ma possession des renseignements qui suggèrent le contraire.

— Des ouï-dire sans fondement, je vous assure.

— Dans ce cas, vous allez devoir m'expliquer ceci…

Sarto Duquette tira de la poche de sa veste les photos compromettantes. Il les leva une à une devant le visage médusé de Yann

Etchevarrez qui s'empourpra légèrement avant de se couvrir de tics.

— Nous devrions nous asseoir au salon. Qu'en dites-vous?

— Je ne parlerai qu'en présence de mon avocat.

— Je n'y vois pas d'inconvénient. Mais si vous saviez quelque chose qui pourrait vous disculper, monsieur Etchevarrez, vous feriez mieux de le dire immédiatement. Je vous prie de me croire. Cette histoire dure déjà depuis assez longtemps. Elle sème la panique dans le quartier. Et puis, comme vous le voyez, je suis seul. Il ne s'agit pas d'accusations formelles contre vous.

Etchevarrez respirait avec difficulté. D'un signe de tête, il acquiesça à la requête de son visiteur. Il referma la porte d'entrée et s'engouffra dans le salon. Il se versa une rasade de scotch, s'assit, puis s'envoya la liqueur forte derrière la cravate. C'était la première fois au cours de sa carrière d'inspecteur que l'on n'offrait rien à boire à Duquette. Même pour la forme.

— Je ne l'ai pas tué.

— Pourriez-vous me dire ce que vous faisiez entre minuit et une heure du matin, dans la nuit de samedi à dimanche?

— J'étais ici, avec ma femme et un couple d'amis. Nous visionnions un film, au sous-sol. Ils pourront vous le confirmer.

— Avez-vous une idée du moment où ces photos ont été prises ?

L'inspecteur les étala sur la table basse. Etchevarrez les regarda à peine. Il se contenta de grimacer.

— Je ne sais pas… Je suis sorti, vers vingt-deux heures, samedi dernier. Pour aller acheter de la bière.

— Et que s'est-il passé ?

— J'ai vu Kim.

— Était-il votre amant ?

— Non.

Duquette remarqua que la réponse concise ne contenait aucune trace de colère ou de révolte. Elle se teintait plutôt d'une pointe de déception, tel un phantasme, un souhait jamais réalisé.

— Avez-vous une idée de la personne qui aurait pu prendre ces photos ?

— Non.

— Depuis quand avez-vous une attirance pour les jeunes garçons ?

Yann Etchevarrez releva la tête et lui lança une œillade assassine.

— Mes préférences ou mon orientation sexuelle n'ont aucun rapport avec votre enquête. Si vous souhaitez continuer dans cette voie, je ferai intervenir mon avocat. Je vous l'ai dit : je ne l'ai pas tué et j'ai un alibi. Vérifiez et puis vous reviendrez.

— Avez-vous une idée de celui ou de celle qui aurait pu commettre un geste pareil?

— Je ne sais pas, moi. Je ne suis pas devin.

Etchevarrez se remit sur pied et marcha jusqu'à la porte d'entrée qu'il ouvrit largement. Lorsque Duquette passa le seuil, il lui lança:

— Essayez du côté du pasteur. Je les ai souvent vus ensemble.

— Ici, dans le quartier? s'étonna l'inspecteur.

La porte se referma alors sur les talons du visiteur.

Vendredi 21 avril…

L'inspecteur trouva le télévangéliste à la chapelle de la communauté. Le pasteur Navarro était agenouillé, accoudé sur un magnifique prie-Dieu, sous le Christ en croix. Il tenait entre ses doigts joints un chapelet. Son murmure s'élevait, enfiévré, dans le petit édifice d'une blancheur immaculée. Duquette se racla la gorge pour attirer son attention. Joaquín Navarro sursauta.

— Il n'est jamais bon d'interrompre les prières d'un homme, dit-il en se redressant. À qui ai-je l'honneur?

Une fois de plus, Duquette se présenta en déployant l'étui de son insigne.

— En quoi puis-je vous être utile, monsieur ?

— On m'a dit que vous connaissiez le jeune Kim Nguyen.

— Couci-couça. Venez. Allons nous asseoir.

Sarto Duquette accepta l'offre d'un signe de tête. Il y avait bien longtemps qu'il ne s'était pas retrouvé dans une succursale de la maison de Dieu. Il ne croyait pas vraiment à son existence et pour cette raison, l'homme qui se tenait devant lui l'intriguait au plus haut point. Malgré une mise impeccable, un sourire convaincant et une voix ferme, la main du télévangéliste trembla lorsqu'il s'assit sur le premier banc faisant face au petit autel.

— La famille Nguyen est très pauvre. Elle bénéficie des œuvres caritatives dont je suis l'artisan.

— Depuis longtemps ?

— Environ six mois.

— Avez-vous déjà vu Kim ici ?

— Vous voulez dire à l'intérieur des murs de Côté Soleil ? Non, jamais. Quoique…

Il laissa sa phrase en suspens. Son regard dériva un instant sur les pages de la Bible ouverte, sur l'autel, pour revenir sur l'inspecteur Duquette.

— Une seule fois, pour dire vrai. Le soir de son…

— Vous voulez dire samedi soir dernier ?

— Oui, c'est cela.

— Quelle heure était-il?

— Environ vingt-trois heures. Je revenais de la chapelle. Je commence et je termine mes journées ici, vous savez. C'est à ce moment que je l'ai croisé.

— Avez-vous échangé des paroles?

— Bien sûr. Je savais très bien que Kim n'avait aucun ami ici et que la fille des Lambert, qui donnait une petite fête ce soir-là, ne l'avait pas invité. Alors je lui ai demandé de quitter les lieux.

— Que faisait-il ici?

— Je ne sais pas. Je ne le lui ai pas demandé.

— Vous l'avez donc reconduit à la guérite, j'imagine.

— Non. Je suis reparti chez moi. Je lui faisais confiance.

Duquette ne cacha pas sa surprise. Son esprit compilait l'information reçue à une vitesse fulgurante.

— Vous faisiez confiance à… un intrus?

Le pasteur pouffa légèrement.

— Je ne suis pas comme Robert Martin, vous savez. Je ne suis pas aussi suspicieux que lui.

— Et pourtant, pasteur, vous êtes peut-être le dernier à avoir vu Kim Nguyen vivant.

— Oui, ça se pourrait, monsieur. Je… n'y avais pas pensé.

— Et vous n'avez pas pensé non plus au fait que si vous l'aviez reconduit à la guérite, il ne lui serait sans doute pas arrivé ce que vous savez?

Joaquín Navarro encaissa le coup d'un air solennel. Au plus profond de lui, cependant, il frissonnait. Au contraire de ce que croyait l'inspecteur, cette accusation à peine dissimulée de responsabilité le hantait autant de jour que de nuit. Depuis presque une semaine, il vivait un véritable calvaire de regrets.

Charel et Daniel s'étaient donné rendez-vous au parc. De là, ils devaient ensuite filer à l'extérieur du quartier pour aller au cinéma de répertoire où un festival de films de M. Night Shyamalan prenait l'affiche. L'adolescente n'atteignit toutefois jamais le lieu prévu.

Elle emprunta la rue des Rhododendrons et lorsqu'elle passa devant la résidence des Etchevarrez, elle entendit un léger vrombissement. Intriguée, elle approcha et reconnut le bruit du moteur d'une voiture. La large porte du garage était complètement fermée. Elle se rappela alors les paroles de son père: *il ne faut jamais démarrer la voiture sans avoir au préalable ouvert la porte du garage*. La sécurité, sous toutes ses formes, était l'obsession, le leitmotiv numéro un de Robert Martin. Elle attendit un peu, certaine que la porte s'ouvrirait d'un instant à l'autre. Rien ne se produisit. Le moteur, lui, ronronnait toujours. Un doute germa.

Elle fouilla dans son sac et trouva la clef de la maison où elle allait si souvent garder. Elle entra, se dirigea vers l'accès intérieur du garage et regarda par le carreau. L'obscurité régnait. Son doigt releva l'interrupteur. Elle constata alors qu'un épais brouillard enveloppait la pièce.

— Fudge!

La panique s'empara d'elle. Craignant le pire, elle repoussa la porte. Le nuage de monoxyde de carbone sortant du pot d'échappement de la voiture en marche la saisit à la gorge. Ne voyant plus rien, elle avança à tâtons jusqu'à l'immense porte de garage et elle actionna manuellement l'ouverture. Dès qu'elle se souleva, le nuage toxique forma une colonne d'air qui s'échappa vers l'extérieur. Sur le point de suffoquer, Charel se faufila sous la large porte, tituba jusqu'à la pelouse, tomba à genoux, puis roula sur le dos. Elle respira un bon coup et réussit à reprendre son souffle.

D'une main tremblante, elle attrapa son téléphone cellulaire et composa le numéro personnel de son père.

— Je suis chez les Etchevarrez, souffla-t-elle d'une voix cassée. Je crois que Jacinthe s'est suicidée... Appelle une ambulance... Vite...

Sa tête retomba sur l'herbe. Et, comme dans un rêve, elle vit une silhouette surgir de nulle part pour disparaître dans le brouillard. Quelques secondes plus tard, la silhouette émergeait de la masse gazeuse, soutenant Jacinthe Etchevarrez et la petite Marguerite. La femme s'écroula à côté de Charel et s'agrippa à son bras.

— Je savais qu'il me trompait... J'étais souvent en voyage, tu sais... Pour des *shootings*... Mais... je ne savais pas que... Je n'aurais jamais cru que...

Tandis que Daniel faisait le bouche-à-bouche à l'enfant, des sirènes éclatèrent dans la Cité.

O

Samedi 22 avril...

Charel se réveilla en plein milieu de la nuit. Son ventre gargouillait. Elle n'avait pas mangé depuis le repas du midi. Elle avait pensé casser la croûte en compagnie de Daniel, en revenant du cinéma. Décidément, tout se liguait contre eux. Elle se leva, enfila un peignoir et descendit au rez-de-chaussée.

La maison était silencieuse, plongée dans un clair-obscur où les meubles projetaient sur les murs des ombres étranges, presque menaçantes. Elle s'immobilisa un instant dans l'entrée. Ses pieds nus ne ressentaient pas la froidure de la céramique. Elle ferma les yeux et se laissa bercer par une musique imaginaire, par le calme bienfaisant qui régnait alors et qui contrastait avec l'agitation de la soirée.

Dans la cuisine, elle se servit une portion de veau marengo qu'elle réchauffa au micro-ondes, ainsi qu'un grand verre de lait. Elle s'installa sur un tabouret et enfourna le tout en moins de deux. Revigorée, elle décida d'aller jeter un coup d'œil aux films disponibles sur le réseau payant de la télévision. Au sous-sol, elle fit un peu de lumière dans le grand salon et constata avec étonnement que la porte du cabinet privé de son père était entrouverte. À la suite de son appel, Robert Martin avait quitté la maison de façon si précipitée qu'il avait oublié de prendre ses habituelles précautions.

Alors, à pas de loup, Charel pénétra dans l'antre de son père.

Une trentaine de moniteurs tapissaient deux murs. Chaque écran se fragmentait en neuf segments pour observer Côté Soleil sous différents angles : les rues, les villas, la guérite principale et les deux guérites secondaires, le parc, la longue muraille, l'entrée du bunker de sécurité, etc. De l'autre côté de la pièce, une haute série de filières montait la garde.

Charel s'approcha et ouvrit un tiroir. Puis un autre. Une multitude de noms surgit sous ses yeux stupéfaits. Des noms qu'elle connaissait. Son père possédait donc chez lui une copie des dossiers personnels des résidants. Elle en feuilleta un au hasard. *Acceptation dans la communauté après analyse positive de la candidature,* lut-elle. En plus de la date de naissance et du numéro d'assurance sociale, tout y était consigné : origines ethniques variées mais issues de la bourgeoisie, comptes bancaires bien garnis et investissements mirobolants, diplômes universitaires et curriculum vitæ sans tache, aucun casier judiciaire, forte participation à des œuvres de charité, et tutti quanti. La crème de la crème...

— Un élitiste, murmura-t-elle en reprenant la formulation d'Yssa Victorin.

Elle s'apprêta à refermer les tiroirs lorsque son regard tomba cette fois sur le nom des Cohen. Son cœur s'emballa. Ses doigts saisirent l'épaisse chemise de papier kraft. Soudain prise de remords devant l'éventuelle découverte d'éléments intimes de la vie privée de son amoureux, elle glissa le dossier dans la filière et referma les tiroirs avant que la curiosité ne la gagne complètement.

D'autres dossiers reposaient, ouverts, sur le secrétaire de son père. Ceux de tous les employés engagés par les résidants de Côté Soleil : femmes de ménage, hommes à tout faire, paysagistes, cuisiniers, etc. Les Autres... Encore une fois, les paroles d'Yssa lui revinrent à l'esprit. Celles qui accusaient son père d'être *une sorte de xénophobe, un Hitler nouveau genre.*

8

LE REPAIRE D'HYPOCRITES

Lundi 24 avril...

La Cité ne connaissait pas le mot *vacances*. Elle bouillonnait, rugissait, débordait, créait, pullulait, polluait. Elle criait sa joie ou son mal de vivre. Nuit, jour, semaine ou fin de semaine... Tout s'y côtoyait: le meilleur comme le pire. Elle ne s'alanguissait jamais.

À son image, le cinquième étage du quartier général de la police bouillonnait d'activité. Les agents butinaient d'un bureau à l'autre, le front anxieux ou la mine ravie, selon qu'ils revenaient bredouilles de leur enquête ou qu'ils venaient de trouver quelque chose de juteux à mettre sous la dent de leur chef. Les télécopieurs n'arrêtaient pas de vomir des rames de papier, les téléphones de sonner, la rumeur de toujours monter d'un cran de plus. La cafetière répandait son flot d'adrénaline concentrée, et le vendeur itinérant de sandwiches et de beignets se mettait chaque matin des pourboires plein les poches.

À huit heures tapantes, la tête hirsute de Sarto Duquette émergea de l'escalier — il ne prenait jamais l'ascenseur. Trop moderne pour lui, bien que l'invention remontât au xixe siècle. Le pas un peu lourd, le souffle court, le gaminet collé au corps par la sueur, il se dirigea vers le vestiaire des hommes. Il retira ses vêtements de jogging et sauta dans la douche. Quelques minutes plus tard, il ressortit vêtu d'un jeans noir et d'une chemise grise fripée, déboutonnée à l'encolure. Il passa devant le bureau de la secrétaire de son département, une Asiatique d'une soixantaine d'années qui se coiffait à la geisha.

— Même chose, inspecteur? demanda-t-elle.

— Oui. Merci, Suzie-Anh.

— Quelqu'un vous attend dans votre bureau.

Les sourcils de l'homme valsèrent un moment sur son front. La femme consulta un bloc de *post-it* couleur fuchsia placé devant elle.

— Yssa Victorin.

Il esquissa un sourire en coin.

— Vous pouvez m'apporter une tasse de chocolat chaud, aussi?

— Bien sûr, répondit-elle en se levant.

Il se rendit jusqu'à l'extrémité de la vaste salle, obliqua vers la droite avant de disparaître dans son bureau.

— T'es pas encore à l'école?

— Je voulais vous parler, avant.

— Alors ça doit être important.

— Assez.

Il s'assit devant la jeune fille tandis que Suzie-Anh lui apportait une théière d'eau chaude, ainsi qu'une tasse de chocolat chaud pour Yssa. Sans un mot, elle repartit, prenant soin de refermer la porte derrière elle. Aussitôt, la rumeur du département s'apaisa. Duquette pressa entre ses doigts un quartier de citron et laissa couler un filet de jus dans l'eau chaude.

— Vas-y, dit-il tout simplement après avoir siroté une gorgée. Je t'écoute.

Les funérailles avaient eu lieu la veille, soit une semaine après le départ tragique de Kim. Évidemment, Yssa pensait beaucoup à lui. Quelques heures avant son meurtre, ils s'étaient disputés. Pour des babioles, comme cela arrive souvent dans un couple. L'adolescente se sentait coupable. Alors pour se pardonner, pour se donner l'impression de venger la mort de celui qu'elle aimait, elle avait décidé de révéler tout ce qu'elle savait. L'entretien dura une bonne heure.

L'inspecteur fit ce qu'il avait dit qu'il ferait : il écouta.

Lorsqu'Yssa sortit de son bureau, emmenant avec elle son bac de bijoux, il ne put s'empêcher de lui demander :

— Pourquoi t'as rien dit plus tôt ?

— Parce que je fais confiance à personne.

— T'as pas à avoir peur de nous. On travaille pour la justice, tu sais.

— Peut-être bien. Mais la justice, elle ? Elle travaille pour qui au juste ? Les pauvres ou les riches ?

Elle se retrouve souvent à la solde de ceux qui ont de l'argent pour se payer de bons avocats véreux, songea Duquette en son for intérieur. Il la remercia et proposa qu'un de ses hommes la reconduise à l'école de la Miséricorde. Yssa Victorin refusa.

Une fois de plus, l'inspecteur apprécia le tempérament de la jeune fille. Une beauté brute dotée d'un esprit lucide et d'un viscéral besoin d'indépendance. La petite finirait par aller loin. De ça, il en était convaincu.

Robert Martin n'avait pas encore terminé son petit déjeuner que Sarto Duquette vint perturber la routine matinale de sa famille. L'inspecteur ne tourna pas autour du pot. Il avait un meurtre à élucider depuis plus d'une semaine, et toujours pas l'ombre d'un indice probant. Son hôte eut beau lui faire signe de passer au salon, il resta planté dans la cuisine. Il avait assez perdu de temps. Il devait forcer les choses à bouger, pousser les gens à se compromettre. D'ordinaire, il était assez doué à ce jeu.

— T'as déjà fait des menaces à Kim Nguyen, lâcha-t-il en guise d'introduction.

— Oui, c'est vrai, reconnut le suspect.

— Tu l'as pris en flagrant délit?

— Non.

— Alors comment savais-tu que c'était lui qui pénétrait dans ton quartier?

— Il traînait constamment près de l'enceinte.

— La petite vendeuse de bijoux aussi, elle rôde souvent près de la guérite. Ça fait pas d'elle un suspect pour autant.

— Voyons, Sarto. C'est rien qu'une fille.

Duquette écarquilla les yeux. De même qu'Éva et Charel, aussi présentes. Quant à Benjamin, il se tenait coi, la tête basse. Son regard papillonnait entre l'inspecteur et son père.

— Pourquoi croyais-tu que c'était lui, le *Fantôme*?

Cette fois, Robert Martin se sentit à découvert. Il chercha une porte de sortie, mais n'en trouva aucune qui apaiserait Duquette.

— Il s'en vantait à ses camarades de classe. C'est venu jusqu'à moi.

— T'es dans la merde, Robert. Est-ce que tu le sais?

Acculé au pied du mur, l'homme ne répondit rien.

— T'avais toutes les raisons du monde de vouloir qu'il disparaisse.

— Mon père est quand même pas un meurtrier, inspecteur!

Sarto Duquette se tourna vers Charel qui s'était levée de table en faisant crisser les pattes de sa chaise sur les carreaux de céramique. Il avisa la femme de Martin et son fils, debout dans un coin, pour savoir s'ils voulaient ajouter quelque chose. Ils ne firent rien. Il reporta son attention sur Martin.

— Écoute, Robert. Tes menaces ne veulent peut-être rien dire du tout, mais tu caches trop de choses pour être vraiment *clean*. D'abord tu prétends que c'est toi qui as trouvé le corps, tu mens sur l'heure de la découverte et, surtout, t'as aucun alibi pour le soir du meurtre. Sans compter que tu l'as menacé en public. Alors voici comment ça va se passer : tant que j'aurai pas plus de preuves pour ou contre toi, je te démets de tes fonctions à la tête de la sécurité de Côté Soleil. C'est interdiction absolue de retourner dans le bunker et interdiction absolue de quitter le secteur. Je veux t'avoir à l'œil. Tu m'as bien compris ?

Martin ne broncha pas.

— Je vais te faire avaler ta propre médecine, mon vieux. Tu veux tout savoir des autres ? Eh bien, moi aussi, je veux tout savoir de toi, surtout si tu pètes de travers !

Le policier tourna les talons et sortit de la maison aussi vite qu'il était entré. Il avait un deuxième suspect à aiguillonner.

Dans la cuisine, Benjamin cacha mal son sourire. Si bien que son père l'alpagua par le revers de sa chemise où figurait l'écusson du collège privé.

— Qu'est-ce qui te fait rire, toi?

— Laisse-le tranquille! hurla Éva, au bord de la crise de nerfs. Tu ne vois pas que tu nous as fait assez de mal comme ça!

Martin relâcha son fils qui ne manqua pas de le repousser contre le mur. Pour la première fois, le garçon signifiait ouvertement son mépris à l'égard de son père. Ce qui affecta celui-ci au plus haut point. L'air hagard, il regarda sa femme et son fils quitter la cuisine pour grimper à l'étage. Leurs pas mécontents retentissaient au-dessus de sa tête.

Charel s'approcha et le prit dans ses bras.

— T'en fais pas, papa. Ça va bientôt s'arranger.

Tout, autour de lui, menaçait de s'écrouler. Pourquoi sa femme et son fils ne l'avaient pas défendu devant Duquette? Pourquoi sa fille était la seule à lui faire confiance? Que leur avait-il donc fait pour qu'ils lui en veuillent à ce point? Il n'avait jamais battu sa femme, ne l'avait jamais trompée. Il n'avait jamais rien refusé à Benjamin. Le moindre de ses désirs était exaucé. Était-ce une façon de se montrer reconnaissant?

Sans se poser davantage de questions, Robert Martin en conclut qu'il lui en avait trop donné. Pourtant, Charel se trouvait encore là, auprès de lui. Qu'avait-il donc fait de différent avec elle ? Rien, ça il en était certain…

Il soupira en se serrant un peu plus contre Charel.

— Je crois que ça va faire du bien à tout le monde que tu restes à la maison, dit-elle.

Surpris, l'homme recula pour mieux observer sa fille.

— Qu'est-ce que tu veux dire ?

— Que t'es pas souvent là. On finit par s'ennuyer de toi, tu sais.

— Ta mère et ton frère ont une fichue de belle façon de me le faire savoir ! ironisa-t-il.

— Tu te rends compte de rien, hein ?

Cette fois, la voix de l'adolescente se fit plus dure. Robert Martin haussa les épaules. Non, il ne se rendait compte de rien. Il ne voyait pas les attentions dont l'entourait sa femme, ni les incartades de son fils, véritables appels à l'aide. Ils l'aimaient encore, mais cet amour était devenu, avec le temps, une peau de chagrin.

— C'est pas vrai, cette histoire de rumeurs, remarqua Charel. C'est pas vrai que Kim s'en vantait à ses amis.

— Comment le sais-tu ?

— C'est Yssa. Elle m'a dit qu'elle était avec Kim lorsque tu l'as menacé. Et elle est probablement allée voir la police.

— La petite garce ! s'exclama l'homme, la mâchoire serrée. Sa parole vaut rien. Rien de rien !

— Pourquoi? Parce que c'est une fille, une mineure? Ou parce qu'elle est pauvre?

Son père ne sut trop que répondre.

— Arrête d'accuser sans cesse les Autres, papa. Je sais que tu veux absolument que ce soit aussi simple, que ce soit quelqu'un de l'extérieur, mais...

— Je cherche le coupable, c'est tout. Et j'écarte aucune possibilité.

— Alors c'est pour ça que sur ton bureau...

Charel s'interrompit, regrettant le dernier mot.

— Quoi, sur mon bureau? fulmina son père. C'est toi qui es allée fouiller dans mon cabinet!

— La porte était ouverte.

— Ça te donnait pas le droit de...

— Eh bien, je l'ai pris, le droit! éclata-t-elle à son tour.

Le père et la fille se dévisagèrent en chiens de faïence, à quelques centimètres l'un de l'autre, prêts à se sauter à la gorge.

— Et toi, papa, que vaut ta parole?

Il s'apprêta à la gifler, mais elle recula d'un pas. La main souleva l'air sous son nez.

— T'as menti à la police, papa. T'étonne pas que maman et Ben aient peur. Ils ne savent plus s'ils doivent te faire confiance. Est-ce que tu comprends ça? Si on peut plus se faire confiance, qu'est-ce qui va nous rester, hein?

L'homme vacilla. Ses lèvres tremblèrent, comme si elles craignaient les mots sur le point de les franchir.

— Et toi? souffla-t-il d'une voix écorchée. Est-ce que tu me fais toujours confiance?

— Des fois, je t'avoue que je sais plus.

Robert Martin se laissa choir sur une chaise, la tête entre les mains. Charel tenta un geste vers lui lorsque la sonnerie du téléphone retentit. Soudain très fatigué, son père ne bougea pas d'un iota. Elle eut beaucoup de peine à reconnaître la voix de Rosa Navarro qui gémissait à l'autre bout du fil un chapelet de mots incompréhensibles. Au bout d'une quinzaine de secondes, elle raccrocha et son regard se fixa sur la nuque de son père, toujours assis à la table de la cuisine.

Si l'inspecteur Duquette interrogeait en ce moment même le pasteur dans la chapelle, cela signifiait que son père n'était pas le seul suspect dans sa mire. C'était au moins ça de pris.

Charel revint juste à temps de son expédition éclair. Elle ramassa son sac d'école et sauta dans la BMW. Ni sa mère ni Benjamin ne remarquèrent son essoufflement qui ne semblait pas vouloir s'estomper. Son cœur battait la chamade. Elle en ressentait l'écho partout

dans son corps, jusque contre ses tempes douloureuses. Pas parce qu'elle avait couru à en
perdre haleine, mais plutôt par ce qu'elle venait
d'entendre.

Chose certaine, Rosa Navarro n'irait pas à
l'école ce jour-là. Peut-être pas les suivants non
plus. Peut-être plus jamais. Pas au Grand
Collège d'études internationales, en tout cas.
Et le pasteur n'animerait plus son émission à
la télé. Il ne se présenterait plus dans les galas
pour des œuvres caritatives. Le glas de la
carrière du télévangéliste le plus célèbre du
Pays venait de sonner. Dès que la nouvelle
sortirait au grand jour, les médias allaient lui
tomber dessus à bras raccourcis. Il continuerait
de défrayer les manchettes, mais d'une tout
autre manière. Il ne s'en remettrait probablement jamais.

Charel se demanda si la famille Navarro
allait encore avoir les moyens d'habiter Côté
Soleil. Elle tenta de mettre de l'ordre dans les
bouts de phrases décousues qui tourbillonnaient dans sa tête. Le paysage urbain défilait
sous ses yeux écarquillés sans qu'elle le vît.

Le téléphone cellulaire de sa mère vibra et
la femme répondit :

— Allô !... Euh non, dit-elle en lorgnant sa
fille du coin de l'œil, puis en avisant son fils,
assis sur la banquette arrière, par le truchement
du rétroviseur. Non, je ne peux pas... Pas
maintenant... Je suis en voiture, là... Je te

rappelle lorsque je serai arrivée à mon bureau. Au revoir…

Et clic! elle referma l'appareil et jeta des regards nerveux à ses enfants. Sa conversation était passée inaperçue. Elle soupira d'aise et se concentra de nouveau sur la route. Le muscle de sa joue tressautait.

Charel ne perçut qu'un murmure confus qui ne réussit pas à la tirer de ses pensées troubles. Elle se revit, cachée sous une fenêtre ouverte de la chapelle. Là, elle avait pu capter une bonne partie de la conversation entre Joaquín Navarro et l'inspecteur de police. Avec un minimum d'efforts, elle avait même réussi à s'imaginer les deux hommes.

— Depuis combien de temps Kim Nguyen était-il au courant?

— Je ne sais pas, pleurait le pasteur.

— De quelle manière l'a-t-il appris?

— Je ne sais pas, répéta-t-il, le visage barbouillé de remords.

— Quand vous a-t-il approché pour vous faire chanter?

— Il y a deux mois, gémit-il encore.

— Quelles preuves possédait-il contre vous?

— Des photos, surtout. Et une vidéo.

— C'est ce qui vous a convaincu?

— Oui, larmoya le pasteur.

— Qu'exigeait-il de vous au juste?

— De l'argent, évidemment. Toujours plus. Au début, les sommes étaient dérisoires, mais c'est vite devenu sérieux.

— Et que faisait-il de cet argent ?

— Je n'en ai pas la moindre idée.

— Combien avez-vous détourné de fonds de vos œuvres de bienfaisance ?

À ce moment précis, le pasteur avait marqué un moment d'arrêt. Il avait dû appuyer ses mains jointes sur son front. Ses larmes s'étaient peut-être même mêlées à l'écume qui gouttait de sa bouche ouverte sur le désespoir.

— Beaucoup, avait-il enfin soufflé.

— Combien ?

— Beaucoup trop...

Cette fois, c'est Duquette qui avait interrompu son interrogatoire. Il avait sans doute refermé son calepin de notes. Non. Charel se souvenait qu'il n'en avait pas lors de son propre interrogatoire, le matin du meurtre de Kim. Il notait tout mentalement. Qu'avait-il fait, alors, pendant cette pause ? Contemplé le dôme doré au-dessus de l'autel ? Cela se pouvait bien.

— À quel moment vous avez commencé à détrousser vos fidèles ?

La réponse du pasteur ne vint jamais. Il devait être trop honteux pour révéler que cela durait depuis longtemps. Presque depuis toujours. Que c'était le modus operandi de l'ensemble de sa carrière publique, qu'il en avait fait grassement profiter sa famille et ses proches. Facile de se montrer généreux lorsque l'argent ne nous appartient pas.

— Vous comprendrez que le fisc viendra mettre son nez dans vos affaires…

— Et les médias ? s'était soudain inquiété le télévangéliste. Ils vont me lyncher sur la place publique !

— Vous avez de la chance, pasteur. De nos jours, les larrons ne finissent plus leur vie sur une croix, au sommet d'une colline.

La réaction de Joaquín Navarro avait dû ressembler à une profonde hébétude, car l'inspecteur avait aussitôt enchaîné :

— Il fallait y penser avant, pasteur.

— Je ne l'ai pas tué ! s'était exclamé le suspect. Je n'aurais jamais fait ça ! Jamais !

— C'est ce que l'enquête nous dira bientôt.

— Vous oubliez que j'ai un alibi !

Au tour de l'inspecteur de ne pas répondre. Un bruit de bancs crissant sur le sol avait annoncé la fin de l'interrogatoire, et Charel avait pris le parti de ne pas rester plus longtemps dans les parages.

Cela faisait-il du télévangéliste un meurtrier ? Là résidait toute la question. L'inspecteur Duquette avait un mobile, mais le pasteur possédait un alibi en béton, confirmé par une dizaine de fidèles de son église qui préparaient

une émission spéciale sur la foi. Cela ne l'empêchait toutefois pas d'avoir pu recourir à un complice. Quelqu'un pour faire le sale boulot, pour
se salir les mains à sa place. L'homme d'Église
fréquentait-il ce genre de mécréants ? Un criminel devait bien en connaître un autre...

Bon sang ! Comment un semblable cafouil-
lage pouvait être possible ? Charel n'en revenait
toujours pas. À croire que le quartier élitiste
que son père voulait tant créer n'existait que
dans les rêves. Comme si tout le monde avait
quelque chose à cacher, comme si personne
n'était complètement blanc. Comme si son
quartier devenait du coup un repaire d'hypo-
crites. Que lui réservait encore l'avenir ? Quelles
autres découvertes allait-elle faire ? Quels autres
secrets allait-elle mettre au jour ? Que cachaient
encore ses voisins ?

L'adolescente comprit alors que le mal
sommeillait partout, même du côté du soleil.

Elle ne désirait pas vivre dans un monde
aussi pourri. Elle voulait essayer de le rendre
meilleur. Une idée se mit alors à germer dans
son esprit. Elle décida donc de voir où cela
la conduirait. Pour cela, elle devait d'abord
convaincre son père...

9

L'AMIE TOMBÉE DU CIEL

Mardi 25 avril…

La nouvelle ne mit guère de temps à se répandre. Elle courait sur toutes les lèvres et alimentait chacune des conversations. Les journaux, la radio et la télévision insistaient, en remettaient, entretenaient de façon insidieuse les eaux troubles dans lesquelles Joaquín Navarro s'était aventuré. Les tribunes téléphoniques se gonflaient en moins de deux. Chacun avait son mot à dire, chacun y allait de ses propres conclusions sur la nature humaine, de son propre jugement, de sa propre sentence. Le regard des autres fut impitoyable.

Du jour au lendemain, la famille Navarro connut les affres d'une déchéance vertigineuse. Elle qui apparaissait autrefois comme un exemple aux yeux de tous, voilà qu'elle mangeait l'hostie rassie de la grogne populaire et découvrait dans son vin une lie amère, épaisse et grumeleuse. L'implication du pasteur dans une histoire de fraude et une autre de meurtre ne permettait pas d'imaginer comment un jour il se tirerait de l'abysse gigantesque qu'il avait creusé jour après jour.

On méprisa l'homme d'Église, on le ridiculisa. On cracha au passage sur ses enfants, bien innocents, quoique profiteurs involontaires des fruits répétés du vol. Ni sa femme Pilar ni ses huit enfants ne se doutaient un seul instant de l'épée qui s'apprêtait à les exclure de la vie mondaine, de la vie tout court. Personne ne comprenait, personne ne croyait qu'une traîtrise pareille pût exister.

Comme il arrive souvent, le malheur fait bien sûr le bonheur de certains qui, se pensant à l'abri de ce genre de fléaux, rient dans leur barbe. Parmi eux figurait Christine Lambert, qui croyait désormais que Charel redeviendrait son amie inséparable. Elle passa une journée on ne peut plus magnifique. Charel, qui ne soupçonnait pas la raison de sa bonne humeur, alla même jusqu'à saluer sa soudaine amabilité envers les élèves qu'elle avait coutume de mépriser et de rejeter. Christine remercia le destin d'opérer ce juste retour du balancier.

Les Navarro ne sortaient plus. Pas même sous le porche pour recueillir le courrier. Ils redoutaient le regard des autres, de leurs voisins surtout, ceux qui, la veille encore, leur faisaient aveuglément confiance, même s'ils n'appartenaient pas tous à la même confession. Ils s'enfermèrent dans leur grande maison, tirèrent les rideaux, débranchèrent le téléphone, et se tinrent prostrés des jours durant. Ils ne firent que prier. Et pleurer.

De la rue, on ne voyait rien bouger. Aucune lumière intérieure ne trahissait leur présence, leur existence. Certains repensèrent à la tentative de suicide de Jacinthe Etchevarrez ; pourtant, personne ne communiqua avec le service de police. Comme s'ils souhaitaient qu'un autre drame se déroule sous leurs yeux. Comme s'ils attendaient que la justice divine fasse son œuvre.

De retour du collège, Charel Martin attrapa le téléphone. Elle eut beau composer et recomposer le numéro de sa voisine, la ligne était sans cesse occupée. Elle se douta bien de la raison. Alors elle se rendit devant la maison des Navarro. Elle prit une grande inspiration et sonna à la porte. À la troisième tentative, une voix cassée parvint à ses oreilles :

— Laissez-nous tranquilles ! Nous ne voulons voir personne !

— C'est moi, madame Navarro. C'est Charel Martin.

Le rideau se souleva et le visage décomposé de la femme apparut dans le carreau jouxtant la porte. Ses lèvres remuèrent, lui demandèrent une fois de plus de s'en aller, puis le pan d'étoffe retomba.

— Je viens tenir compagnie à Rosa.

Contre toute attente, la porte s'entrouvrit. Pilar Navarro, sans fard, sans vêtements griffés, sans chignon bien lissé, posa sa main sur le bras de la jeune fille.

— Je te remercie, Charel, mais reviens plus tard.

— C'est maintenant qu'elle a besoin de ses amis, s'entêta-t-elle. Pas plus tard.

La femme se mit à pleurer. Elle remercia le ciel que sa fille ait une si fidèle camarade. Alors Charel osa un rapprochement. Elle la prit dans ses bras et la berça un moment sur le seuil.

— Merci, murmura la femme. Merci.

Et elle laissa l'adolescente entrer. Charel ne put s'empêcher de faire la moue. Les éclats de voix des enfants du couple ou les sermons du pasteur ne retentissaient plus dans la maison. La joie de vivre avait disparu. Tout était sombre. Tout respirait la mort. Combien de temps tiendraient-ils dans ce silence tendu?

Elle pivota sur elle-même, mais l'hôtesse lui avait fait faux bond. Probablement pour s'enfoncer encore plus dans sa tristesse. Alors elle monta l'escalier et se rendit à la chambre de Rosa. Elle poussa doucement la porte et son amie releva la tête. Un élan de panique parcourut ses traits dévastés, puis la lassitude s'empara d'elle. Elle baissa la tête.

— Qu'est-ce que tu veux?

— Je viens te...

Rosa la fixa avec intensité. Bien que bouffis et rougis, ses yeux ne pleuraient plus. Le puits de ses larmes s'était tari d'en avoir trop versé.

— Ton père aussi est suspecté dans cette affaire. On l'a démis de ses fonctions. Tu as autant besoin de réconfort que moi.

— Alors on va s'entraider…

Elle s'assit sur le lit et entoura son amie de ses bras. Elles restèrent ainsi longtemps, à savourer cet instant de doux répit, à remettre entre les mains de l'autre une partie de sa vulnérabilité, de son intimité, de sa vérité. Elles s'allongèrent sur la couette, leur tête l'une à côté de l'autre, se tenant par la main, à regarder le plafond, à laisser leur esprit divaguer, à rêver d'un monde meilleur.

— Qu'est-ce qu'on dit de nous, au collège ?

— Ça sert à rien d'en parler.

Rosa se mordit la lèvre.

— Si tu es là, ça veut dire que tu es mon… amie.

Charel tourna légèrement la tête de côté. Sa main serra un peu plus fort celle de Rosa.

— Oui, répondit-elle avec sincérité.

— C'est que…

Charel se redressa sur un coude, tandis que sa compagne ferma les yeux.

Au cours des derniers jours, son opinion avait changé. Si au départ elle s'était mise à la fréquenter par crainte que Rosa Navarro divulgue son affreux secret, Charel avait fini par découvrir une chose : sa voisine se révélait pleine de générosité, de compassion et d'humanisme, tout le contraire de Christine Lambert.

— T'as été là pour moi, l'an dernier, affirma-t-elle en lui touchant le bras. Maintenant c'est à mon tour de te rendre la pareille.

L'an dernier… Charel s'en souvenait donc! *Il y a peut-être un Dieu, malgré tout*, se dit Rosa en éclatant en sanglots et en se réfugiant contre l'épaule de cette amie tombée du ciel. Et Charel la berça doucement.

Un an déjà… Presque un an… Dans quelques jours. Comment Charel pouvait-elle oublier, même si elle le voulait avec toutes les fibres de son corps, un anniversaire aussi triste? Celui de la pire défaite de sa courte vie. Celui d'un abandon, d'un rejet, d'une trahison.

La tension culminait. Seuls les ustensiles percutant le fond des assiettes brisaient le silence du repas. Les Martin ne se regardaient pas, concentrés qu'ils étaient à échafauder, chacun de leur côté, un plan pour s'extirper de l'impasse. Les options brillaient par leur absence. Ils ne savaient que faire. Pourtant, quelque chose devait surgir du néant qui les engouffrait, de la crainte qui les tenaillait, de la colère qui sourdait en eux et qui menaçait de tout fracasser sur son passage.

— Je sors, ce soir, annonça Éva d'une petite voix.

Aucune réponse ne lui fit écho.

— Je partirai vers dix-neuf heures.

— À quelle heure reviendras-tu? demanda son époux sans lever les yeux de son rôti de porc.

— C'est pas de tes affaires! coupa Benjamin.

Cette fois, Robert Martin avisa son fils.

— Voyons, Ben! intervint sa mère. Ce n'est pas une façon de t'adresser à ton père!

Le garçon soutint le regard de braise de son géniteur.

— Il veut tout savoir, persifla-t-il, mais il nous dit jamais rien, à nous! Et aux autres non plus!

— Benjamin! renchérit la femme, empourprée. Fais tout de suite tes excuses.

À la place, le garçon se retira de table et sortit de la maison, faisant violemment claquer la porte d'entrée. Robert Martin lorgna du côté de son épouse.

— Depuis quand tu prends ma défense?

— Je l'ai toujours fait, répondit-elle d'un ton vexé. Pour ce que ça m'a donné...

Elle prit la serviette qui recouvrait ses cuisses et la jeta d'un geste brusque sur la table. Elle s'en alla à son tour.

— Telle mère, tel fils! conclut l'homme d'un haussement d'épaules.

— Tu trouves pas que t'exagères, là? remarqua Charel, déçue.

— Tout le monde s'en prend à moi depuis dix jours. Et puis, de toute façon, ça avait commencé bien avant…

— Ben a raison, tu sais.

Son père lui lança une œillade de mépris courroucé.

— La transparence, la confiance… On peut pas dire que c'est ton point fort, hein ?

— Tu dis ça parce que tu veux que j'accepte ton offre.

— Non, je dis ça parce que c'est la vérité, papa. Nuance !

Robert Martin planta sa fourchette dans un morceau de viande, la mouilla dans le coulis d'airelles, puis l'enfourna sans plus de cérémonie.

— C'est non et on n'en reparle plus.

— Pourquoi ?

— Qu'est-ce que je viens de dire ?

Charel grimaça. Ce n'était évidemment pas la réponse qu'elle souhaitait entendre de la bouche de son père. Elle voulait l'aider, mais il préférait faire cavalier seul alors qu'il n'en avait désormais plus les moyens. Même ses employés de *Future Engineering* doutaient de lui. Et les messages de mécontentement de la part des résidants du quartier s'accumulaient dans leur boîte vocale.

L'adolescente décida de jouer le jeu malhonnête de la manipulation. Son père se sentait persécuté, rejeté de tous. Il perdait un à un ses alliés naturels. Si elle lui donnait l'impression qu'il la perdait, elle aussi, peut-être consentirait-il alors à la laisser mener sa propre enquête dans la communauté. Tout le monde connaissait la suspicion innée de Robert Martin. L'on savait à quel point il adorait faire lui-même les choses. Peu se douteraient qu'il avait nommé sa fille au poste d'adjointe. On ne se méfierait pas d'elle. Elle aurait donc les coudées franches. Il fallait qu'elle joue le tout pour le tout, quitte à blesser son orgueil.

— Eh bien, si c'est comme ça, reste tout seul !

Et elle partit sans se retourner.

Robert Martin demeura bouche bée. Jamais sa fille ne lui avait parlé sur un ton aussi cinglant. Venait-il de briser le seul lien affectif qui l'unissait encore à sa famille ? Du coup, il douta de lui, de ses actions, de ses croyances. Peut-être était-il allé trop loin ? Peut-être exagérait-il, comme sa fille aînée le prétendait ?

Il se sentit terriblement las, assis à cette table où les assiettes abandonnées, à moitié vides, l'entouraient et le narguaient. Il se souvenait, autrefois, des joyeux repas de famille. On riait autour de la table, on se taquinait, on se parlait sans la moindre trace d'acrimonie, on se respectait. Qu'il était loin, ce temps béni ! Se pouvait-il que tout fût de sa faute ? Était-il l'unique responsable de la dégénérescence familiale ?

Seul au monde, seul dans l'adversité. Il ne savait pas s'il possédait en lui assez de volonté pour faire face à la musique macabre qu'on jouait pour lui depuis une dizaine de jours. Il ne souhaitait pas le savoir non plus. Il fallait qu'il retrouve Éva. Il fallait qu'elle revienne à lui. D'elle dépendait le reste.

Alors il se leva, monta l'escalier quatre à quatre et rejoignit son épouse. Elle avait enfilé un pantalon de cuir noir et portait une blouse de soie pourpre. Les boucles de ses cheveux bondissaient sur ses épaules à chacun de ses gestes. Il la trouva attirante, toujours aussi resplendissante que lors de leur première rencontre, à l'université, vingt ans plus tôt. Il se sentit aussi gourd qu'à cette époque.

— Tu es belle.

La phrase surprit Éva ; elle n'en montra cependant rien. Il était trop tard. Elle avait assez attendu et trop longtemps accepté son indifférence. Les hommes ont tort de croire qu'une seule phrase, dite à un moment critique, peut panser les blessures de toute une vie de femme. Et à cet instant précis, elle le détesta encore plus pour cette vaine prétention. Elle ramassa son sac à main et tenta de franchir le seuil de la porte. Il l'arrêta.

— J'ai mal agi. J'ai pas pensé à toi ni aux enfants. J'imagine que je le fais sans m'en rendre compte depuis un bon bout de temps.

Décidément, il faisait des efforts pour marcher sur son orgueil.

— J'ai voulu protéger ma réputation et préserver la confiance des résidants de Côté Soleil. Les deux vont à vau-l'eau maintenant. Et j'ai négligé l'essentiel.

Son épouse soupira. Elle jeta un coup d'œil à son bracelet-montre.

— Excuse-moi, Robert, dit-elle en prenant congé. Je vais être en retard.

Sa voix n'était ni brusque, ni douce. Elle résonnait d'un timbre nouveau aux oreilles de Robert Martin. La voix de l'indifférence venait de parler à travers la bouche de sa femme. Les choses allaient encore plus mal qu'il ne le pensait. Il la rattrapa au sommet de l'escalier.

— Alors tu me pardonneras jamais?

Au fond des prunelles de sa femme brillait une lueur indépendante et crève-cœur.

— Tu n'es plus l'homme que j'ai connu, que j'ai épousé, souffla-t-elle avec amertume. Tu as tellement changé.

— Et si je le redevenais? Et si tu me donnais une autre chance?

— C'est que moi aussi, j'ai changé. Je suis désolée, Robert. Bonne soirée.

Éva glissa sur les marches d'un pas feutré, craignant presque qu'il lui saute dessus. Elle parvint au rez-de-chaussée sans encombre et, dehors, soupira de soulagement. Elle ne croyait pas que tout se passerait aussi bien.

Lorsque la porte se referma, Robert Martin lâcha un juron. Il décida qu'il dormirait désormais dans son cabinet privé. Aussi prit-il avec lui quelques effets personnels ainsi que deux oreillers. Dans son empressement à quitter le lit conjugal, il fit tomber une boîte de souliers qui tenait en équilibre précaire sur une tablette de l'immense garde-robe. En heurtant le sol, la boîte s'éventra. Une liasse d'enveloppes se dispersa sur la moquette. Intrigué, l'homme se pencha et en ramassa une.

Une lettre d'amour. Enfiévrée, passionnée. Destinée à sa femme, signée d'un simple *A*.

Les traits de l'homme se chiffonnèrent. Il prit une autre lettre et lut, au hasard, des extraits du même acabit. Les ambiances dépeintes le firent vaciller, les lieux surgirent devant ses yeux, les parfums titillèrent ses narines, les voix douces murmuraient à ses oreilles les mots de la trahison.

La jalousie l'étreignit. Qui était ce *A* se cachant derrière un romantisme niais et démodé, qui faisait la cour à Éva? Depuis quand cette relation durait-elle? Comment avait-elle pu se lancer dans une telle aventure, elle si prude et soumise? N'y avait-il eu que ce *A* de malheur ou plusieurs autres inconnus à se tenir dans l'ombre de son couple?

Une forte nausée le saisit. Non seulement il ignorait bien des choses qui se déroulaient sous son nez dans la communauté, mais sa femme avait visiblement une double vie. Même sous son propre toit, il ne trouvait pas la sécurité ni la tranquillité d'esprit qu'il recherchait avec tant d'avidité. Il ne maîtrisait plus rien. Peut-être au fond n'avait-il jamais rien contrôlé.

Agacé, il projeta les lettres sur le mur, sans prendre le soin de les remettre en place dans la boîte, ni de ranger cette dernière sur la tablette. Les missives et les enveloppes s'éparpillèrent dans les airs pour ensuite tapisser la moquette. Il contempla son œuvre d'un air satisfait. Ainsi, lorsqu'elle rentrerait, Éva saurait qu'il savait.

La pluie cessait à peine. La lune se reflétait dans les flaques d'eau. Les lumières des réverbères s'étiraient sur le bitume sombre. L'herbe mouillée embaumait l'air. Le vent soulevait légèrement les feuilles des arbres. Les rues désertées paraissaient encore plus larges. Les grandes villas se tenaient en retrait. Quelques criquets jacassaient dans l'ombre des jardins. Une autre nuit paisible berçait Côté Soleil.

Une silhouette fugace louvoyait dans le parc. Malgré les gravillons qui parsemaient les sentiers, elle allait lentement et en silence, d'un arbre à l'autre, sans geste brusque, selon un itinéraire bien calculé. Elle marqua un court temps d'arrêt, regarda à l'entour, écouta, étudia la nuit, puis fila vers un autre point. Elle émergea du parc, au coin des rues des Magnolias et des Campanules. Car aucune caméra de surveillance ne protégeait cet endroit précis. Elle connaissait chacune de ses zones vulnérables et zigzaguait entre elles avec une assurance et une rapidité déconcertantes. Comme si elle avait créé ce quartier, comme si elle avait elle-même installé les petits joujoux électroniques. À découvert, elle mit le cap sur la résidence la plus tapageuse de la rue des Amarantes. À croire que le bon goût ne venait pas forcément avec la fortune.

Le *Fantôme* foula le pavé, longea la voiture garée dans l'entrée du garage et sauta sur l'herbe molle. En moins de deux, il s'adossa contre la brique de la façade et y demeura un instant, jetant une œillade circulaire sur les environs. Rien. Il glissa vers le sol et rampa sur l'herbe, devant la maison. Il se faufila derrière la petite haie qui cachait les fondations et s'arrêta à côté du porche, abondamment illuminé.

D'ordinaire, il sévissait dans l'ombre des jardins, là où les propriétaires ne laissaient qu'une ou deux lanternes de service pour couvrir plus de mille mètres carrés. Peut-être parce qu'ils étaient souvent en désordre à cause des jouets qui traînaient. Pour les façades, c'était autre chose. Ils se servaient d'une multitude d'encastrés pour étaler aux yeux de tous la magnificence de leur demeure et souligner chaque détail de l'architecture. C'était comme un beau vêtement griffé. Il fallait le montrer.

Pour le *Fantôme*, cela constituait un nouveau défi. La mort prématurée de son complice lui fouettait les sangs, renforçait sa volonté de défier l'autorité. Il fallait le faire pour Kim, pour lui rendre un dernier hommage, pour renouveler leur serment d'amitié. Pour montrer à tous qu'il ne craignait pas d'agir, qu'il ne s'arrêterait que si lui le décidait.

Alors il s'approcha un peu plus de la porte noire. Il sortit de sa poche un aérosol, visa la paroi, appuya sur la gâchette, et la peinture gicla. D'un geste ample et rapide, il dessina un graffiti. Trois secondes seulement et tout était fini. Il admira son forfait et osa émettre, dans la tranquillité de la nuit, un petit rire narquois. Le dessin goutta un peu, produisant de longues dégoulinades sur la porte.

Le *Fantôme* fourra la canette de peinture dans sa poche et retourna chez lui en reprenant, à l'envers, le même chemin, celui qui lui permettait de passer inaperçu aux yeux de Robert Martin et de sa sacro-sainte sécurité de merde.

10

LES SUBTILITÉS DE L'HYPOTHÈSE

Mercredi 26 avril…

Anita Cohen couvait Vincent et Arielle du regard. Postée dans l'entrebâillement de la porte du séjour, elle admirait une fois de plus la beauté de ses deux magnifiques lévriers afghans. *Si les êtres humains pouvaient se montrer aussi fiers!* pensa-t-elle avec une pointe d'amertume.

Dès qu'elle s'aventura dans l'entrée, les deux chiens bondirent pour l'accueillir. Ils jappèrent, tournèrent autour d'elle, se frôlèrent contre ses jambes menues, léchèrent les mains qu'elle leur offrait. Elle encercla leur cou effilé d'un collier auquel elle fixa ensuite une laisse. Elle attrapa sa veste, puis enleva les loquets de sécurité de la porte. Lorsqu'elle l'ouvrit, son sourire se figea. Ses yeux s'écarquillèrent. Les laisses s'échappèrent de sa vieille main ridée et tachetée de son. Ses jambes flageolèrent. Tandis que son corps glissait lentement vers le sol, Vincent et Arielle, soudain libérés de son emprise, gambadèrent sur le parterre avant de se hasarder seuls dans la rue.

Dans la cuisine, Joseph Cohen lisait le manuscrit d'un jeune auteur dont il avait déjà entendu parler. Malgré la retraite, il désirait toujours donner son avis sur les ouvrages que publiait la maison d'édition qu'il avait fondée. D'une main, il buvait son thé dans lequel il avait versé un mélange épicé de Masala Chai. De l'autre, il feuilletait les pages en pinçant les lèvres, peu certain de vouloir publier un texte bourré de fautes. Il savait bien que de nos jours, une piètre qualité de la langue de même qu'un vocabulaire peu varié n'engendraient pas automatiquement un refus. On publiait les histoires pour autant que l'intrigue soit enlevante et imprévisible, ou que la manière de raconter se révèle poétique et imagée. Mais pour cet éditeur de la vieille garde, il lui répugnait de publier un auteur incapable d'écrire correctement.

D'abord, il ne s'aperçut de rien. Puis, peu à peu, une faible rumeur taquina ses oreilles. Était-ce le vent qui sifflait ainsi? Ou le bruit de la circulation des voitures? Il tenta de se concentrer davantage sur sa lecture lorsqu'un crissement de pneus retentit, suivi du hurlement strident d'un klaxon. Le vieil homme se leva aussitôt, se demandant ce qui pouvait bien se passer. Dès qu'il sortit de la pièce, il vit la scène.

Au premier plan, sa femme Anita gisait sur le sol, les jambes à l'intérieur de la maison, ses bras à l'extérieur, la tête sur le paillasson. Au second plan, au-delà du parterre, les deux lévriers trottinaient en boitant devant une voiture stoppée en plein milieu de la chaussée.

Joseph Cohen s'avança en tremblotant. Alors son regard, incrédule et papillotant, se posa sur la porte. L'horreur se lut sur son visage.

Une croix gammée peinte en rouge, dont les dégoulinades se terminaient par des gouttelettes gorgées de haine, lui renvoya au visage une erreur de jeunesse vieille de plus de soixante-cinq ans. Une erreur dont même sa femme ne soupçonnait pas l'existence.

L'inspecteur Sarto Duquette donnait des ordres à ses hommes qui lui obéissaient au doigt et à l'œil. Les flashes crépitaient. Un employé du labo relevait un échantillon de peinture du graffiti. Deux autres passaient la haie au peigne fin. Une ambulance et une fourgonnette de l'urgence canine tentaient de se frayer un chemin parmi les voisins agglutinés en bordure du trottoir. L'agitation culminait au cœur de la communauté.

Madame Cohen, allongée sur une civière, n'arrêtait pas de crier. Elle ne voulait rien savoir des brancardiers ni de leur intention de lui faire passer des tests. *Juste au cas où*, prétendaient-ils. Tout ce qu'elle souhaitait, c'était accompagner Vincent et Arielle, les pauvres bêtes, à l'urgence de l'hôpital vétérinaire. Bien que le mâle semblât bien portant, la femelle avait une patte amochée.

De son poing, elle ne manqua pas de désigner son petit-fils.

— Tout ça c'est de ta faute! cracha-t-elle, le rouge aux joues, le regard voilé par la colère. Tout allait parfaitement bien avant que tu arrives ici!

Sarto Duquette se tourna vers le garçon d'un air étonné. Au cours de son enquête, il avait interrogé l'adolescent et l'avait vu travailler chez les Kapoor. Plusieurs voisins l'avaient encensé. On le disait à l'écoute, généreux, travaillant, responsable, méticuleux et peu exigeant. L'ado parfait, que tout parent rêvait d'avoir. Ou celui que tout père souhaitait voir fréquenter sa fille. Anita Cohen cria encore quelque chose, mais les portes de l'ambulance se refermèrent sur ses insanités et ses accusations. Daniel grimaça. Elle commençait à lui taper sur les nerfs.

— Pas facile de vivre avec des personnes d'une autre génération, hein?

— Vous voulez dire d'une autre planète!

Le grand-père avança vers eux. Son air furibond déplut à Duquette.

— Tu ne manqueras pas de respect à ta grand-mère en plus, mon petit!

— Vous permettez que je lui pose des questions seul à seul, monsieur?

— Et pourquoi donc? fit Joseph Cohen. Il ne sait que mentir, cet enfant! Il ne cesse de nous mépriser, de vouloir faire son intéressant, de défier nos règles. Jamais nous n'aurions dû le prendre avec nous. Jamais! Et je parie qu'il a quelque chose à voir avec… avec…

Le vieil homme pointa le graffiti sans pouvoir, sans vouloir nommer cette chose, cette représentation horrible d'un passé qu'il avait fui, qu'il croyait à jamais révolu. Daniel ravala de travers. Il avait l'habitude que ses grands-parents le malmènent de la sorte, mais pas en public.

— On m'a pourtant dit beaucoup de bien de lui, dans le quartier, affirma l'inspecteur.

— Eh bien, on vous a mal informé, monsieur!

— Bon, ça suffit! déclara Daniel, excédé. J'en ai assez entendu.

— Eh bien quoi, mon garçon? La vérité te déplairait-elle?

Cette fois, le ton monta d'un cran. Daniel s'emporta.

— Si je te disais la tienne, à toi, ta vérité… Elle aussi, elle te déplairait!

Josef Cohen demeura un instant sur la défensive. Son regard papillonna entre le graffiti, son petit-fils et l'inspecteur.

— Et quelle vérité pourrait bien me blesser, hein? répliqua le vieil homme en tentant de masquer l'angoisse fulgurante qui l'agitait.

— Et si tu racontais un peu ce que tu as fait pour gagner ta vie, pour amasser toute ta fortune? Et si tu parlais de toi au monsieur?

Duquette retint son souffle. Il se sentait entre l'arbre et l'écorce. Ou au beau milieu d'une partie de tennis. Et la balle que les deux adversaires se renvoyaient allait bientôt se transformer en postillons de venin.

— J'ai fait un travail honnête, tu sauras, mon garçon, lança fièrement le grand-père. Puis se tournant vers l'inspecteur Duquette : j'étais éditeur.

— Ouais, tu parles d'un éditeur ! T'as publié les récits autobiographiques d'anciens réfugiés des camps de concentration allemands. T'as exploité les souvenirs et la misère de tes compatriotes pour faire rouler ton business. Tu t'es servi des déboires de ton propre peuple pour empocher le maximum d'argent. Pas très joli, l'ancêtre !

Joseph Cohen cilla. C'était une façon parmi tant d'autres de voir les choses. S'il avait permis à ses coreligionnaires de témoigner de la persécution dont ils avaient été victimes, ce n'était effectivement pas par grandeur d'âme, mais plutôt pour tenter d'effacer une terrible horreur de jeunesse : à dix-huit ans, pour sauver sa peau et obtenir un visa pour l'Amérique, il avait été collabo. Il avait dénoncé et condamné les siens : des amis, des voisins, des membres de sa propre famille.

Le regard du vieil homme se rembrunit. D'un coup de tête, il tenta de chasser les images

de charniers recouverts de chaux qui le han-
taient encore. Il esquissa un rictus agacé.

— Tu ne comprendras jamais, petit con,
persifla-t-il. Tu n'es pas comme nous, de toute
façon.

Josef Cohen, convaincu que les témoins de
sa trahison avaient tous péri avec le temps, que
la croix gammée peinte sur sa porte ne pouvait
être rien d'autre que le fruit du hasard, s'en
alla rejoindre son épouse à l'hôpital. Pour lui,
ce graffiti ne pouvait être autre chose que
l'œuvre d'un mauvais plaisantin qui ne se
doutait pas une seconde qu'il avait visé juste.

— Comment ça, t'es pas comme eux?
s'informa l'inspecteur.

— Ma mère est une goy, lui apprit Daniel.
Je suis même pas la moitié d'un Juif, pour eux.
Je suis rien.

Si chez les Juifs le nom de famille se transmet par les hommes, la filiation, elle, se fait
uniquement par les femmes. Ainsi, pour qu'un
enfant soit considéré comme faisant partie du
peuple de David, sa mère doit-elle être juive.
À moins qu'elle se convertisse. Mais celle de
Daniel n'avait jamais voulu rien savoir d'embrasser une autre religion. Ce qui avait engen-
dré bien des conflits et, finalement, un divorce
déchirant.

— J'ai appris pour l'accident de ton père.
J'imagine que la tension vient aussi de là,
insinua l'inspecteur.

Daniel baissa la tête. Le corps amorphe de son père apparut un moment devant ses yeux. Des larmes noyèrent ses prunelles.

— Ça n'a jamais été facile avec eux. Mais c'est vrai que maintenant, c'est encore pire.

— As-tu une idée de celui qui aurait pu dessiner ce graffiti sur la porte ?

— Non. Sincèrement, je vois pas. Je me serais plutôt attendu à voir une croix de David… Mes grands-parents sont vaches avec moi, mais ils s'entendent plutôt bien avec leurs voisins. Sauf avec les Martin.

La dernière phrase piqua la curiosité de Duquette. Cela méritait un approfondissement. Pour le reste, accuser les Cohen de nazisme venait mettre en lumière un passé hypothétiquement trouble. Et très lointain. Trop sans doute pour qu'il y ait un lien à faire avec son enquête. Cachaient-ils eux aussi des petits travers inavouables ? Tout comme Etchevarrez et Navarro ? Côté Soleil ressemblait de plus en plus à un nid de guêpes, à un repaire de salauds.

L'inspecteur demeura encore quelques minutes en compagnie de Daniel. Puis, il le remercia et retourna à son enquête.

Robert Martin sifflotait tout en prenant son petit déjeuner. Il agissait comme si de rien n'était, comme si le retour du *Fantôme* relevait de la plus pure fabulation. Son comportement étrange, pour ne pas dire insouciant, étonnait sa famille, qui ne savait plus sur quel pied danser, ni comment l'interpréter. Depuis la veille, depuis la découverte des lettres d'amour signées par un amant anonyme de sa femme, le président de *Future Engineering* avait résolu de démissionner de ses tracas. Il ne possédait plus aucun pouvoir. Sarto Duquette et sa femme voulaient être seuls à mener chacun leur barque? Eh bien soit! Qu'il en soit ainsi et amen!

Ce matin-là, Éva prépara non pas deux, mais bien un seul café espresso. À quoi cela servait-il de faire semblant? Robert savait. Mais en même temps, il ignorait beaucoup de choses. Elle n'avait même pas envie de se défendre, de lui dire qu'il faisait fausse route. Car c'était bien le cas. Éva ne l'avait jamais trompé. Avec personne. Elle avait toujours résisté à la tentation malgré la présence, un peu plus réconfortante chaque jour, de son admirateur. Un peu plus envahissante, aussi. Elle ne souhaitait même pas dire à son époux qu'elle avait congédié son admirateur pour donner une dernière chance à son couple. À quoi bon? Tout était bel et bien fini. Elle avait été la seule à le voir. Désormais, la vérité leur sautait aux yeux.

Benjamin et Charel ne comprenaient pas non plus ce qui se passait. Avec la découverte du graffiti sur la porte des Cohen, le garçon s'était attendu au déploiement d'une colère démesurée ; sa sœur, elle, avait cru que son père reviendrait sur sa décision.

La situation lui paraissait anormale, voire surréaliste. La preuve venait d'être faite que Kim Nguyen n'était pas le *Fantôme*. S'il n'était pas celui qui s'amusait à créer des aménagements insolites dans les jardins de Côté Soleil, qui donc le faisait ? Ou qui lui avait succédé ? S'agissait-il de ce mystérieux complice ? De la taupe ?

On se jouait une fois de plus de Robert Martin et de la technologie qu'il avait mise au point pour protéger la communauté des délinquants. Devant ce nouvel affront, son père aurait dû paniquer, tempêter, sortir de ses gonds. À la place, il lisait le journal en affichant un calme olympien. Au-dessus de ses affaires. Au-dessus de tout. Lui seul mangeait. Les autres se contentaient de le regarder. Il n'avait pas été d'aussi bonne humeur depuis longtemps. Que lui arrivait-il ? Que dissimulait-il encore ?

L'adolescente en perdait son latin. Tout lui échappait. À essayer de le manipuler, elle n'avait finalement rien obtenu.

La sonnette de la porte d'entrée retentit. Robert Martin releva la tête et pointa un doigt en direction de sa fille.

— Ça, c'est l'inspecteur Duquette, dit-il, la voix enjouée. Dis-lui que je l'attendais.

Charel obéit, le front barbouillé d'incompréhension. Bon sang! Son père avait dû se cogner la tête quelque part. C'était impossible de changer à ce point en une seule nuit. À moins que... Que le coupable... Lui? Une folie passagère? Qui durait depuis plus de dix jours? Elle secoua la tête avec vigueur, puis ramena Sarto Duquette dans la cuisine.

— Salut, Sarto! s'exclama joyeusement Robert Martin en tendant la main vers le visiteur. Assieds-toi. Tu veux du café? Ma f... Éva en prépare d'excellents.

Duquette remarqua l'hésitation sans toutefois la relever. Les problèmes conjugaux des autres ne regardaient pas son enquête. Du moins le pensait-il.

— Non merci, c'est gentil. T'as pris une pilule ou quoi, Robert?

Martin s'esclaffa. Il replia son journal et le posa sur une chaise.

— Non, pas du tout... Tu m'as mis au chômage, mais sais-tu quoi? Je me sens plutôt en vacances. Et j'aime ça!

— Je suis heureux que tu le prennes ainsi.

Robert Martin sortit de table et invita l'inspecteur à passer au salon. Tandis qu'ils s'installèrent dans les fauteuils, près de l'âtre, le reste de la famille Martin se posta derrière la porte fermée et tendit l'oreille. Ils n'entendirent que des chuchotements délibérés.

De l'autre côté de la mince paroi, les deux hommes se dévisagèrent un instant.

— C'est moche, cette histoire de graffiti, convint Robert.

— Tu parles! Les Cohen sont tellement obnubilés par la persécution dont ils ont été autrefois victimes — et je les comprends, les pauvres! — qu'ils ne se sont jamais rendu compte que c'est pas une croix gammée qu'il a dessinée, votre *Fantôme*...

— C'est quoi alors?

— Un svastika orienté vers la gauche plutôt que vers la droite, comme chez les nazis. Symbole religieux utilisé par les hindous, entre autres. Et ça en fait un signe de bonne fortune. Le tagueur n'est pas versé en culture religieuse et idéologique, comme qui dirait.

Robert Martin rit dans sa barbe. On ne pouvait donc pas vraiment parler d'antisémitisme. Même si l'intention était là. À moins qu'elle ne réside ailleurs, qu'elle se révèle beaucoup plus subtile, sournoise et perverse. Et si le graffiteur avait choisi la maison au hasard? Et s'il avait dessiné la première chose qui lui était venue à l'esprit? Et si tout ça n'était pas *a priori* prémédité? Et si ça répondait à un besoin? Oui, mais lequel? Sans doute celui d'attirer l'attention…

Cette fois, son sourire disparut. Son regard se promena entre divers objets de la pièce. Ses réflexions le ramenaient à son travail, à son essence même, à ce qu'il avait toujours été au plus profond de lui: un policier enquêteur spécialisé en informatique. Sa démission du service de police, dix ans plus tôt, ne l'avait conduit qu'à d'autres sortes d'enquêtes, civiles celles-là. Du coup, il sentit que ses vacances s'achevaient. L'envie soudaine de reprendre le collier lui chatouilla le derrière. Il repensa à l'offre de sa fille.

— Tu connais Gaston de Foix? lui demanda l'inspecteur. On le surnommait Fébus.

— Jamais entendu parler. Un ancien gars de la criminelle?

Sarto Duquette éclata d'un rire franc. Ce fut la seule note bien définie qui parvint aux oreilles de ceux qui écoutaient à la porte du salon. L'hilarité de l'homme s'apaisa peu à peu, puis il poursuivit:

— C'est un comte qui a vécu en France au XIVe siècle.

Son interlocuteur se contenta de plisser l'œil droit et de hausser le sourcil gauche. Il ne voyait pas le rapport que ça pouvait avoir avec lui.

— *Touches-y si tu oses!* C'était sa devise… Tu me fais penser à lui.

Sarto Duquette se pencha en avant. Conscient du léger remuement qui se produisait de l'autre côté de la porte, il baissa la voix. Robert Martin aussi se rapprocha. Pour ne rien perdre des subtilités de l'hypothèse que l'inspecteur étalerait devant lui.

— L'affaire se présente de la manière suivante : Kim Nguyen pénétrait régulièrement dans le quartier, question de se moquer de ses résidants et de leur désir de vivre dans un cocon doré. Il jouait au *Fantôme* et déplaçait les meubles de jardin que les propriétaires avaient pris soin de bien ranger. Résultat : panique et insécurité au sein de la communauté. Ça, c'est le mobile avoué de Kim. Je crois par contre qu'il y en a un autre, bien plus retors…

Robert Martin ne réagissait pas. Il connaissait bien Sarto Duquette pour avoir longtemps travaillé à ses côtés au service de police. Aussi pressentait-il que la suite ne lui donnerait pas le plus beau rôle de l'histoire.

— Seul toi, Robert, pouvais le laisser entrer. Tu connais le secteur sur le bout des doigts. Seul toi pouvais lui permettre de sévir sans que les caméras de surveillance le captent en pleine action. Dans quel but faisais-tu cela ? Tout simplement pour affermir, pour justifier les nouveaux contrôles de sécurité que tu souhaitais installer. Lors de l'assemblée générale annuelle des résidants de Côté Soleil, en janvier dernier, les Cohen s'étaient farouchement opposés au budget excessif que tu avais soumis. Et ta proposition a été rejetée par la majorité. Peu de temps après, ô curieux hasard!, le *Fantôme* a surgi pour la première fois, comme par magie! Le mobile caché, c'était de te servir de Kim pour arriver à tes fins, pour montrer à tous, surtout aux Cohen, qu'il fallait un meilleur système de sécurité. Sauf que Kim était une vraie fouine. Il ne se contentait pas de faire ce que tu lui demandais. Il en profitait pour espionner les membres de la communauté, ce qui l'a amené à découvrir pas mal de choses. Des choses pas très nettes, s'entend. Du coup, ses agissements ont mis en péril ta petite mise en scène. Non seulement Kim Nguyen pouvait faire chanter les autres, mais il en savait assez pour te faire tomber, toi aussi. Il était donc de trop. Il fallait qu'il disparaisse avant qu'il vende la mèche. De toute façon, on avait commencé à te réclamer ce fameux système de sécurité qui coûtait la peau des fesses. Alors tu lui as donné le coup de grâce. Dans ton jardin. C'était tellement gros que personne n'en viendrait jamais à croire que c'était toi qui avais fait le coup et qui avais couru le risque de laisser le corps là, dans ta propre piscine.

Sarto Duquette s'interrompit un instant, question d'étudier les traits de son suspect.

Celui-ci resta de marbre. Aucun mot de la longue démonstration ne semblait l'atteindre.

— Puis t'as décidé de faire dévier l'enquête, renchérit l'inspecteur. T'as livré des lettres anonymes chez les Etchevarrez parce que, évidemment, Robert, tu sais absolument tout sur tout le monde, même si ça figure pas dans les dossiers de *Future Engineering*. Et lui, il a renvoyé la balle à Navarro. Je me demande si tu l'avais prévue, celle-là... Peu importe. Comme je le disais, tu connais le coin par cœur. Tu connais le champ d'opération précis de chacune des caméras de surveillance. Tu sais où il faut poser le pied pour ne pas apparaître sur la bande vidéo. Et hier soir, t'as récidivé. T'es devenu le *Fantôme*. T'as fait une petite visite de courtoisie aux Cohen. Question de leur remettre la monnaie de leur pièce. On vient de retrouver la bombe aérosol de peinture. Il y a plein d'empreintes dessus. J'attends les résultats du labo.

Jusqu'à cette dernière information, Robert Martin n'avait manifesté aucune réaction. Dans son esprit, il ne faisait aucun doute que la canette lui appartenait. Qui donc aurait pu la lui dérober pour ensuite s'en servir ? L'étau commençait à se resserrer.

Il n'avait pas envie de rétorquer quoi que ce soit à l'argumentation de Duquette. La seule certitude qu'il détenait, c'était que son raisonnement, bien que dangereux, négligeait toutefois une autre avenue, certes plus favorable à Martin, mais tout aussi crédible que celle qu'il venait d'entendre.

Une mise en scène. Quelqu'un, tapi quelque part, s'évertuait à le faire tomber. Ça sautait aux yeux. Dans quel but? Un concurrent du monde de l'informatique qui avait l'intention de s'emparer du contrat de sécurité de Côté Soleil et qui avait recruté un complice parmi les employés de *Future Engineering*? Il dressa mentalement la liste — assez courte — de ses rivaux potentiels, se demandant s'ils iraient jusqu'à commettre un meurtre, à vendre leur âme pour une question d'argent. Il l'ignorait. Les gens posaient les pires gestes pour quelque chose qui, au bout du compte, s'avérait futile et sans valeur absolue. Alors ça pouvait être n'importe qui. Un vieux copain de collège qu'il avait un jour méprisé... Un job décroché à la place d'un autre... Un criminel autrefois mis à l'ombre qui revenait soudain se venger... Une promotion reçue et que d'autres ne jugeaient pas méritée...

Il en aurait pour des heures et des jours, des semaines et des mois à faire l'inventaire des banalités quotidiennes qui étaient acceptées par la majorité des êtres humains comme faisant partie de la vie, mais qui prenaient néanmoins une tangente dramatique, paranoïaque et vindicative pour une minorité aux affects malades et névrosés.

Il ne trouverait jamais. Pas par lui-même. Pas avec les mains liées.

L'entretien était terminé. Duquette avait déballé ce qu'il avait à dire. Restait à Martin à mariner un peu pour voir s'il allait craquer sous la pression, pour voir s'il allait se mettre à table, pour voir s'il allait commettre une erreur. L'inspecteur s'en alla sans un au revoir.

Le suspect principal dans cette histoire de meurtre resta un moment assis dans son fauteuil. Le désespoir l'envahit. Il avait besoin d'une présence auprès de lui. Il se convainquit que seule sa fille pouvait le soutenir dans cette dure épreuve. Comme il avait perdu tout pouvoir d'agir, il n'avait d'autre choix que de faire appel à elle pour mener sa propre enquête, en parallèle à celle de la police de la Cité. *Personne ne se méfiera de moi,* lui avait-elle dit, deux jours plus tôt. Elle n'avait probablement pas tort.

Il se leva, sortit de la pièce pour obliquer vers la cuisine. Il marcha droit vers sa fille qui faisait semblant de terminer son petit déjeuner. Il se pencha et murmura à son oreille :

— J'accepte ta proposition. Tu es maintenant mes yeux et mes oreilles. Mais tu dis pas un mot à personne. Compris ?

Charel opina en silence. Tandis que son père retournait se terrer dans son cabinet privé, Benjamin l'interrogea du regard. L'adolescente l'ignora et se retira. À chaque marche de l'escalier qu'elle gravissait, un petit sourire victorieux s'épanouissait sur son visage. Elle avait gagné.

11

L'ENQUÊTE PARALLÈLE

Le timbre sonore annonçant la fin de l'avant-midi retentit entre les murs du Grand Collège d'études internationales. Dès lors, les digues des locaux cédèrent dans un synchronisme ahurissant. Une masse humaine informe remonta les corridors et déboucha comme une crue printanière sur le pavillon principal pour ensuite se déverser dans les escaliers. Un tumulte assourdissant de voix accompagnait cette débâcle quotidienne.

Lorsque Charel et ses amis arrivèrent à la cantine, celle-ci était déjà bondée. Daniel repéra une table vacante et s'y installa tandis que les autres se mirent en file. Plateau à la main, les élèves attendaient tout en discutant de choses et d'autres. Leurs parents, trop occupés ou fatigués pour leur préparer un lunch décent, se délestaient de leurs responsabilités en leur remettant un billet de dix dollars. Ainsi, les employés de la cantine ne fournissaient pas et comblaient les estomacs avides qui se précipitaient vers eux.

— Qu'est-ce que tu prends, aujourd'hui? demanda Christine Lambert.

— Sais pas encore, répondit Charel en étudiant le menu fixé au mur.

Une ribambelle de *précieuses ridicules* les abordèrent et se mirent à papoter. Christine ne manqua pas de s'imposer, de parler un peu plus fort que les autres pour qu'on la voie, pour qu'on la remarque, pour qu'on envie sa popularité. *Vaut mieux faire envie que faire pitié*, répétait sans cesse monsieur Lambert. Sa fille unique se faisait un point d'honneur de mettre en application le précepte paternel.

Charel grimaça. Les jacassements lui donnaient mal à la tête. Elle songea à Rosa Navarro, à sa voix douce, à son calme et à sa modestie. Sa voisine lui manquait.

— On va la revoir, tu crois, la Navarro? fit Christine, changeant de sujet.

— Pourquoi tu l'appelles comme ça? lança sèchement Charel, agacée. C'est pas gentil.

La reine des *précieuses ridicules* haussa les épaules et poursuivit sa discussion avec les autres filles. Quant à Charel, elle reporta son attention sur les vitrines regorgeant de nourriture. Elle prit une salade de fèves rouges, un yogourt nature et un jus de légumes, et commanda en plus une portion de fettucines sauce Alfredo pour son amoureux.

Dans la queue, près de la caisse enregistreuse, elle remarqua son frère en compagnie de Maxim McCormick, leur voisin. Celui-ci tenait dans son bec son éternel cigarillo qu'il s'empressait d'allumer dès qu'il quittait le terrain du collège. Les deux garçons donnèrent l'impression de s'entretenir à voix basse et de jeter des œillades nerveuses à la ronde. Maxim tendit une enveloppe que Benjamin prit et fourra dans sa poche. Puis les deux garçons s'éloignèrent l'un de l'autre.

Charel se dépêcha de payer les deux repas et retrouva Daniel. En s'assoyant, elle constata que Maxim McCormick mangeait à quelques tables d'eux. Il ne l'avait pas remarquée et parlait un peu trop fort. Comme Christine, il se donnait en spectacle. Il se vantait de connaître un paquet de trucs intéressants sur l'affaire entourant le meurtre de Kim Nguyen. Il parlait du *Fantôme* qui venait de récidiver et insistait sur le fait que la police était revenue au domicile des Martin le matin même.

— Ils l'ont embarqué? s'enquit un de ses compagnons de classe.

— Non, pas encore.

— Qu'est-ce qu'ils attendent, les flics? demanda un autre.

— Il doit leur manquer un petit quelque chose.

— Tu veux dire une preuve?

— Ouais.

Maxim s'apprêtait à poursuivre la diffusion en direct du bulletin de rumeurs locales quand un de ses camarades lui envoya un petit coup de coude dans les côtes. Il pivota sur sa chaise et aperçut Charel qui le dévisageait en silence, le visage empourpré.

— Tu devrais aller débiter tes conneries ailleurs, McCormick! lança Daniel si fort que plusieurs élèves levèrent le nez de leur assiette.

Maxim déposa sa fourchette et leur fit franchement face. À l'entour, on attendait la querelle avec impatience.

— Je dirai bien ce que je veux, promit-il. Surtout si c'est la vérité.

Daniel repoussa son assiette et se leva.

— Ça sert à rien de parler avec un type borné comme toi!

— Parce que tu te crois parfait, peut-être?

Daniel grimaça. Il tourna les talons et quitta la cantine. Charel se leva à son tour pour lui dire de rester, de ne pas s'en laisser imposer par un élève plus jeune qu'eux. Mais Maxim la héla.

— Moi, à ta place, je traînerais pas avec ce gars-là.

— Mêle-toi de tes affaires, McCormick!

— C'est justement ce que je fais, la voisine.

— Et depuis quand *mes* affaires sont-elles les tiennes?

— Depuis qu'on retrouve des cadavres chez vous et que ton père est même pas foutu d'alerter les flics.

Un soupir d'étonnement et de mépris fondit sur l'assistance. Les *précieuses ridicules* se mirent à chuchoter entre elles et à dévisager leur amie d'un autre œil. Christine Lambert ne savait évidemment plus quoi penser. L'omission du père devenait ainsi le crime de la fille. Charel serra les mâchoires pour ne pas laisser exploser sa colère. À son tour, elle s'éloigna en vitesse. Maxim la rattrapa en trois longues enjambées.

— Crois-moi, ton Daniel te dit pas tout. Lui aussi, il cache des choses.

Charel ne décéléra pas. Son voisin lui empoigna néanmoins le bras et la força à demeurer un peu plus longtemps en sa désagréable compagnie. Il n'avait même pas pris la peine d'ôter son cigarillo et celui-ci se balançait au rythme de ses paroles.

— Si ça se trouve, toi aussi, t'as des choses à cacher, insinua-t-il. Tout le monde a toujours un petit quelque chose de pas très joli dans son placard. Pas vrai, la voisine?

Le regard du garçon la transperça. Un sourire malicieux s'esquissa à la commissure de ses lèvres. Charel en perdit presque le souffle. Elle trembla. Elle n'avait rien à cacher. À moins que... qu'il sache ce qu'il lui était arrivé l'année précédente. Comment avait-il pu être au courant? Personne dans sa famille ne le savait. Ni Christine. Seule Rosa Navarro était dans la confidence et elle pouvait compter sur sa discrétion...

Non, se dit-elle. *Il bluffe, il va à la pêche. Et t'es sur le point de mordre à l'hameçon. Ne mords pas !*

— Laisse-moi tranquille !

Du coin de l'œil, Maxim aperçut un surveillant qui s'étirait le cou au-dessus d'un groupe d'élèves qui s'étaient levés de table pour admirer le spectacle. Il relâcha aussitôt l'adolescente, en lui décochant un sourire de mépris.

— Ciao bang ! décréta-t-il avant de retourner auprès de son public qui voulait en apprendre toujours un peu plus.

Charel alla s'enfermer dans un cabinet de toilette. Elle pleura, recroquevillée sur la cuvette. Elle ignora les appels de Christine qui abandonna son poste au bout d'une quinzaine de minutes pour retourner manger. Le temps s'égrena lentement. Elle entendait, ici et là, des bribes de conversation. Quelques filles, qui ne s'étaient pas rendu compte de sa présence, tentaient en vain d'ouvrir le portillon derrière lequel elle se cachait. Puis la cloche résonna. Une rumeur de déception envahit la pièce. Les bruits de pas des filles qui venaient retoucher leur maquillage devant le grand miroir diminuèrent. Bientôt, le silence régna autour d'elle.

Alors l'adolescente posa un pied par terre, puis l'autre. Elle ouvrit le portillon et se risqua dans l'allée, entre les cabinets. Personne. Elle marcha à pas de loup jusqu'au miroir. Son reflet la tétanisa. Les joues rouges, les yeux bouffis, la lèvre tremblante, la chevelure défaite… Elle ne pouvait pas retourner ainsi à ses cours. Elle n'en avait pas envie, de toute façon. Elle irait trouver refuge dans le bureau de sa mère. Elle s'aspergea le visage d'eau froide et le tamponna à maintes reprises, essayant d'effacer l'angoisse qui rongeait son cœur. Le résultat se fit malheureusement attendre.

En sortant des toilettes, elle emprunta l'escalier et passa devant la série de casiers des élèves de troisième. La scène qu'elle avait surprise entre son frère et Maxim McCormick lui revint en mémoire. Elle stoppa un instant et fronça les sourcils. Elle possédait sur elle un double de la clef du cadenas de Benjamin, car il égarait souvent la sienne. Elle balaya le corridor de droite à gauche. Les surveillants du collège n'avaient pas encore entamé leur ronde pour seriner les lambins et leur coller un billet de retard.

Elle se faufila entre les casiers jusqu'à celui de son frère. Elle attrapa le cadenas et y inséra la clef. Elle l'enleva et ouvrit l'étroit compartiment, à la recherche de la fameuse enveloppe. Tout en déplaçant le moins d'articles possible, elle inspecta les deux tablettes du haut, le sac qui traînait au fond du casier, les poches de la veste de Benjamin. C'est là que sa main rencontra le bout d'une enveloppe. En tout point semblable à celles livrées chez les Etchevarrez, quelques jours plus tôt. Sa poitrine se comprima. Elle releva le rabat et ne s'étonna pas de voir, encore une fois, des photos. Elle les extirpa et les détailla une à une pendant de longues secondes.

La série de clichés présentait son père en diverses circonstances : dans le jardin de leur maison, devant le bunker de sécurité, avec ses employés de *Future Engineering*, en train d'ajuster une caméra de surveillance, devant l'assemblée générale annuelle des résidants du quartier. Les photos ne l'incriminaient pas. Elles ne constituaient aucune preuve d'une éventuelle culpabilité. Elles avaient néanmoins toutes un point en commun : elles avaient été prises à l'intérieur de Côté Soleil. Une hypothèse traversa alors l'esprit de Charel : et si Maxim McCormick était le complice de Kim Nguyen ? Pourquoi les avait-il remises à Benjamin, dans ce cas ? Quel rôle jouait son frère dans cette sordide histoire ?

Une mélodie sifflotée la tira de ses réflexions. Un surveillant effectuait son tour de guet et se rapprochait. Elle referma en douce le casier et le cadenas, puis mit le cap sur les bureaux de la direction. Il fallait qu'elle prévienne sa mère de ce qu'elle venait de découvrir.

Comme elle allait frapper à la porte de son bureau, celle-ci s'ouvrit brusquement sur Adrian McCormick, le père de Maxim. L'homme la toisa avec méfiance avant de lui offrir un sourire forcé.

— Bonjour, Charel. Tu n'es pas encore en classe?

Elle fut incapable de répondre. Sa main se referma un peu plus sur l'enveloppe qu'elle tenait contre elle. Éva apparut derrière l'homme. Une pointe d'embarras barbouillait les traits de la directrice du collège.

— Que fais-tu là, ma chérie? s'enquit-elle d'une voix mal affermie. Tu devrais être en classe depuis dix minutes…

Intimidée par la présence de monsieur McCormick, l'adolescente ne répondit toujours rien. Elle se contentait de fixer l'homme en tremblant.

— Bon, dit-il en se tournant à moitié vers Éva Martin. Tenez-moi au courant si les notes de Maxim chutent encore. Mais comme je vous le disais, je ne m'inquiéterais pas trop. C'est passager. C'est à ce temps-ci de l'année que mon ex-femme a… coupé les ponts. Ça fait longtemps, c'est vrai, mais mon fils y est très sensible. Le printemps n'est pas sa saison préférée, si vous voyez ce que je veux dire.

— Euh, oui… Bien sûr… Nous y… prêterons attention. Bonne journée, monsieur.

Charel s'étonna d'entendre sa mère bégayer et hésiter. McCormick lui rendit son salut et s'en alla. L'adolescente n'entra pas dans le bureau.

La méfiance s'installa dans son esprit tourmenté. Les paroles de son père résonnèrent
comme un avertissement à ses oreilles : *ne dis
pas un mot à personne.*

— Qu'est-ce qu'il y a, Chachou ? Tout va
bien ? On dirait que tu as pleuré…

— Non, mentit la jeune fille. Je vais bien.
Je voulais juste te souhaiter un bon après-midi.
On se voit tantôt.

Charel l'embrassa sur la joue et repartit. Ses
craintes ne la lâchèrent pas de tout l'après-
midi.

O

Lorsque Benjamin vit la porte du cabinet
privé de son père se refermer sur Charel, une
pointe de jalousie lui vrilla l'estomac. Qu'y
fabriquait donc sa sœur ? Pourquoi leur père
lui faisait-il confiance ? Pourquoi sa fille, mais
pas son fils ? Qu'est-ce que le garçon avait fait
pour mériter si peu d'estime de sa part ?

Il eut beau coller son oreille contre la paroi
capitonnée et retenir sa respiration, rien ne lui
parvenait. Alors, agacé par cette préférence
volontaire et peu dissimulée, il lança un solide
coup de poing contre le mur avant de quitter
les lieux.

Dans le cabinet, Charel et son père se
dévisagèrent, devinant aisément ce qui se passait au-delà de la cloison.

— Je crois qu'il faudrait le mettre au courant de notre association, ma chérie.

— Ce serait la pire erreur à faire, estima-t-elle. Regarde ça.

Elle tira de son sac d'école l'enveloppe retrouvée dans le casier de Benjamin. Elle étala devant lui les photos. Robert Martin se crispa. Il n'osa pas les toucher.

— C'est Maxim McCormick qui les a remises à Ben, ce midi. Et je les ai ensuite piquées dans son casier.

L'homme avala de travers. Son fils impliqué dans une histoire de meurtre ? Non, c'était impossible ! Pas lui ! Pas un autre qui, sous son propre toit, se mettait en tête de le tromper ! Était-ce lui le fameux complice de Kim Nguyen ? Était-ce lui le *Fantôme* ? Il se laissa choir dans un fauteuil, les deux mains sur le visage. Sa fille s'approcha pour le consoler.

— Je sais ce que tu penses, papa, mais il faut garder l'esprit clair. Il faut analyser la situation avec sang-froid.

Il leva vers Charel un regard éperdu. Il entendait les mots, certes ; ceux-ci ne le rassuraient cependant pas. Et si leur petite enquête privée leur faisait découvrir quelque chose d'encore pire que ses premiers soupçons ? Et si ce n'était que la pointe de l'iceberg ?

L'adolescente prit les photos et les lui mit sous le nez pour le forcer à regarder.

— J'ai ressassé ça tout l'après-midi, tu sais. Elles ont au moins deux points en commun.

Robert Martin soupira et consentit à les étudier. Au bout de quelques secondes, une étincelle brilla dans ses prunelles. Il s'apprêta à parler, lorsque sa fille le devança :

— Elles présentent toutes des scènes prises à l'intérieur de nos murs. Et en plus, elles ont été faites de nuit. C'était la même chose pour celles qu'Etchevarrez a reçues.

L'homme sourit.

— Ce qui veut dire que celui qui les a prises se promène autour de nos maisons pendant que tout le monde dort...

— Et que c'est probablement le même photographe dans les deux cas.

Robert Martin acquiesça. Son sourire s'épanouit un peu plus. Il tourna la tête vers les moniteurs qui tapissaient les murs de son cabinet.

— Tu crois que c'est le jeune McCormick ? s'informa-t-il.

— C'est pas Benjamin, en tout cas. Mais il est au courant. Et il laisse faire.

L'homme se leva d'un bond. Il arpenta la pièce de long en large, le regard rivé sur la moquette, et se massant les mains comme si une idée de génie allait émerger d'entre ses doigts. Il s'arrêta net et pivota en direction de sa fille.

— Voilà ce qu'on va faire. Je passe les prochaines heures devant les écrans, question de voir si notre photographe amateur sortira au cours de la nuit. Si c'est bel et bien McCormick, alors il faudra trouver le moyen de rentrer chez lui. Et pour cette partie-là du plan, ce sera à ton tour d'agir.

— Rentrer chez lui ? se récria l'adolescente. Tu veux que moi, j'aille chez lui ? Tu veux rire ? Pour quoi faire ?

— Réfléchis, Charel. C'est pas le genre de clichés qu'on envoie au laboratoire de développement d'un magasin grande surface. Il y a trop de gens qui pourraient les voir, les trouver louches et dénoncer leur propriétaire. Peu importe qui est notre artiste en herbe, il doit plutôt les développer dans le confort et l'intimité de son foyer. À l'abri des curieux. Il doit avoir sa propre chambre noire. Et peut-être même plusieurs albums photos. Il nous faut cette preuve. Tu me suis ?

Charel retint sa respiration. Pendant un court instant, elle eut envie de tout laisser tomber. Cette collaboration, cette enquête parallèle et un brin à la limite de la légalité lui semblait du coup aller trop loin. La peur la tenaillait, la nervosité aussi. Elle avait cependant tant insisté auprès de son père qu'elle ne pouvait plus reculer. Maxim McCormick et elle, ce n'était pas la joie. Ça ne l'avait jamais été. Comment ferait-elle pour convaincre le garçon de la laisser entrer ? Et si elle y allait tandis que la maison était inoccupée ?

Elle sentit peu à peu l'excitation la gagner. Alors elle accepta de relever le défi, et ils élaborèrent un plan d'attaque.

12

LA FOUILLE ÉCLAIR

Jeudi 27 avril...

Robert Martin commençait à dormir debout. Les paupières lourdes, il peinait à garder les yeux ouverts. Il passait son temps à se les frotter de la main. Il mâchouillait une énième gomme à mâcher depuis le début de la soirée. Il n'avait rien mangé tant l'excitation le consumait. La fatigue s'intensifia. Il vacilla. La causeuse, à quelques pas de lui, l'attirait sournoisement. Il régla sa montre et décida de faire une sieste d'une heure. Il activa la touche *record* du système d'enregistrement des caméras de surveillance, puis s'écroula sur les coussins.

Lorsque sa montre se mit à biper, l'homme se retourna sur lui-même pour s'enfoncer davantage dans le sommeil. Puis il se redressa en sursaut, l'écume au coin de la bouche. Ses yeux hagards balayèrent les écrans à l'autre bout de la pièce. Il regarda l'heure en bâillant. Il se leva et ouvrit un placard où se trouvaient un évier, une cuvette et quelques serviettes pliées. Il s'aspergea le visage d'eau froide avant de regagner son poste d'observation.

Il marchait lentement devant les moniteurs, faisant de courtes pauses devant chacun, à l'affût d'une silhouette incongrue. Pourtant, rien ne bougeait. *Faut quand même pas rêver en couleur*, songea-t-il. Le photographe amateur qui s'amusait à espionner le voisinage ne sortait probablement pas toutes les nuits. Pourquoi le ferait-il ? Pour se mettre quelque chose de croustillant sous la dent ? Pour avoir en main les éléments d'un odieux chantage ? Le risque de se faire prendre était quand même très grand.

Alors que Robert Martin allait tanguer vers la causeuse, une ombre glissa dans sa vision périphérique. Il se retourna et, le nez à deux centimètres d'un écran, fixa l'image qu'une caméra lui renvoyait du parc. Avait-il rêvé ? Avait-il trop souhaité voir se matérialiser quelque chose qui n'existait peut-être que dans son esprit ? Il se frotta les yeux avec vigueur.

Il ne détourna pas son attention du moniteur. Et alors il la vit, tapie dans l'ombre d'un arbre. Les battements du cœur de Robert Martin s'accélérèrent. Contre toute attente, une silhouette s'avança à découvert. Elle longea un banc, se cacha derrière une corbeille avant de se mettre à courir, puis sortit du champ de la caméra. Robert Martin la chercha en vain sur les moniteurs voisins. Sans doute allait-elle ressurgir non loin. Mais rien. Volatilisée…

— Bon sang ! ragea-t-il. Je l'ai perdu, le petit vaurien !

Comment s'assurer qu'il s'agissait bien de Maxim McCormick? Tôt ou tard, il faudrait que le garçon revienne chez lui. L'homme sortit de son cabinet en trombe. Il monta quatre à quatre l'escalier qui menait au rez-de-chaussée, puis celui qui conduisait à l'étage. Sur la pointe des pieds, il remonta le large corridor et s'arrêta devant la chambre de son fils. Il repoussa la porte sans faire de bruit.

Dans la pièce, la respiration régulière de Benjamin le rassura. Malgré l'aversion que son fils lui témoignait, celui-ci n'avait vraisemblablement rien à voir avec les agissements du *Fantôme*. Il referma la porte en soupirant d'aise. Il venait d'éliminer un suspect. Il ne remarqua cependant pas que la fenêtre de la chambre était entrouverte.

Dans son lit, le garçon se redressa sur un coude. Un petit sourire apparut sur son visage. Il venait de l'échapper belle. Il rejeta les draps, ferma la fenêtre avec mille précautions, enleva ses vêtements et enfila son pyjama avant de retourner au lit. Il trouva facilement le sommeil, heureux de se jouer de son père et de ses croyances, convaincu que l'homme ne pousserait pas plus loin son investigation.

Robert Martin retourna au rez-de-chaussée, fit coulisser la porte-fenêtre de la cuisine et sortit dans le jardin. Il marcha vers la haie qui séparait le terrain des Martin de celui des

McCormick. Il écarta les branches et attendit, accroupi dans l'obscurité.

Le temps passa, puis une forme se détacha du mur de la maison de ses voisins et grimpa l'escalier du patio. Là, Maxim McCormick enleva son passe-montagne. Un rayon lunaire éclaira son visage. Il alluma un cigarillo et tira quelques bouffées vanillées, persuadé que personne ne l'épiait. Le garçon rentra ensuite dans la maison.

Abasourdi, Robert Martin s'assit par terre, dans l'herbe couverte de rosée matinale. Il tenait une nouvelle piste. Une piste que Sarto Duquette ne soupçonnait pas encore. Il avait cru que cela le rendrait heureux. Or, il n'en était rien. Au contraire, son désespoir semblait excaver un abysse encore plus profond que la veille.

En rentrant du collège, Charel mit son plan à exécution. Ni Benjamin ni Maxim n'étaient là, le premier occupé à un entraînement de soccer, le deuxième à traîner du côté des arcades du centre commercial. Elle avait donc le champ libre pour se rendre chez les McCormick. Elle avait répété avec son père, pendant plus d'une heure la veille, ce qu'elle allait dire à Adrian McCormick pour qu'il la laisse entrer. Et elle se sentait fin prête à affronter l'homme.

Aussi se rendit-elle chez son voisin d'un pas volontaire et confiant. Elle faillit s'étrangler avec sa salive lorsque la porte s'ouvrit sur Maxim! Le garçon la toisa d'un air hautain.

— Qu'est-ce que tu veux?

L'adolescente cligna des yeux, bégaya un salut incompréhensible. Maxim ricana en douce. Elle devait inventer quelque chose, mais elle ne savait pas quoi. Aucune idée ne lui traversait l'esprit. Elle se sentait vidée, tarie de toute pensée constructive.

— C'est... au sujet de... de...

— De ton amoureux?

Charel fronça les sourcils. Comme aucune autre excuse ne venait à son secours, elle acquiesça timidement.

— Oui, c'est ça...

— Viens. Je vais te dire ce que je sais.

Elle ne pouvait quand même pas refuser une invitation si gentiment lancée. Elle entra et la porte se referma sur elle. Alors qu'elle se demandait ce qu'il fabriquait chez lui, celui-ci fut pris d'une terrible quinte. *À sortir en pleine nuit, à dormir aussi peu et à fumer autant, normal qu'il ait attrapé la grippe*, se dit-elle.

Les deux voisins s'installèrent au salon. Maxim n'offrit rien à son invitée.

— Alors, on commence? lança-t-il, impatient de voir la tête qu'elle ferait lorsqu'elle apprendrait le passé nébuleux de Daniel Cohen.

— Ton père n'est pas là? demanda-t-elle en regardant partout autour d'elle.

— Retenu au bureau, dit-il en lui décochant un clin d'œil. Nous sommes seuls, ma belle.

Charel tenta de sourire, mais sa bouche dessina plutôt une grimace. Maxim McCormick avait beau être plus jeune et plus frêle qu'elle, il affichait un aplomb olympien. Elle ne lui faisait pas confiance. Elle avala la boule de nervosité qui sautillait dans sa gorge et fit signe au garçon de parler.

— Ton Daniel, c'est de la grosse vermine.

Et toi, qu'est-ce que tu penses que t'es, McCormick?

— J'ai entendu ses grands-parents le dire. C'est assez tordu merci. Même si ça vient d'eux, je sais que tu me croiras pas.

T'as raison, je croirai pas un mot de tout ce qui va sortir de ta foutue bouche…

— Mais tu sais ce qu'on dit: y a pas de fumée sans feu.

Tu vas accoucher, oui ou merde! J'ai une maison à fouiller!

— Daniel a tué son père.

— Tu délires.

— Puisque je te le dis.

— Alors pourquoi il est pas en prison?

Maxim McCormick haussa les épaules. Il ouvrit la bouche et éternua à trois reprises. Il attrapa un papier-mouchoir dans lequel il trompeta bruyamment.

— Qu'est-ce que tu veux que je te dise, la voisine ? Que le monde est parfait ? Qu'on arrête tous les criminels ? Des fois, il manque des preuves, tu sais. C'est probablement le cas pour ton beau Daniel.

— Tu racontes des conneries. Il est pas mort, son père.

— Quadraplégique... Tu trouves pas que c'est la même chose ? Et puis, tu sais ce qu'on dit, hein ?

— Je trouve qu'on dit pas mal trop de choses à mon goût...

Maxim ricana.

— Que le passé est garant du futur. Alors s'il l'a vraiment fait, s'il a agressé son père ou Dieu sait quoi, eh bien, tu devrais surveiller tes fesses, ma belle ! Il t'en réserve peut-être une au détour... Je dois avoir une photocopie d'un article de journal. Attends, je reviens.

Maxim sortit de la pièce. Charel ferma les yeux et serra les poings. Elle n'avait plus envie de rester là, en compagnie de cet individu débile qui inventait n'importe quoi pour se montrer intéressant, qui méprisait et accusait celui qu'elle aimait. Elle se leva, prit le chemin de la sortie. Lorsqu'elle arriva près la porte, elle entendit quelque chose remuer à l'étage. Maxim s'y trouvait, en train de chercher le fameux article. Elle tourna sur elle-même et avisa la porte qui menait au sous-sol. Sa colère était en train de lui faire oublier le but principal de sa présence chez les McCormick. Alors elle déclencha le chrono de sa montre et, d'un pas leste, s'élança pour dévaler l'escalier du sous-sol.

Une impressionnante onde électrique déferla en elle. Son corps se mouvait avec une vélocité saccadée, un peu comme les acteurs des vieux films muets du début du xxᵉ siècle. Ses yeux grands ouverts, avides et inquisiteurs, furetaient dans tous les coins, au travers de nombreux cartons de déménagement et de bacs de rangement. Elle sondait chaque porte qui se présentait à elle pour voir ce qui se cachait au-delà. La dernière qu'elle ouvrit se trouvait sous l'escalier. Sa main tâta le mur à la recherche de l'interrupteur. Elle le toucha enfin. Un déclic se fit, puis une étrange lumière rouge tomba sur elle. Une autre porte se dressait devant elle. Elle la poussa.

La pièce était petite, sans fenêtre. Sur une étagère s'empilaient des bocaux portant des inscriptions auxquelles elle ne prêta pas attention. À côté, des bacs de plastique s'alignaient sur un comptoir de cuisine. Elle approcha. Au fond des bacs trempaient, dans une solution claire, des photos. Une énorme pince traînait à côté. Au-dessus de sa tête, sur une corde à linge, d'autres clichés étaient suspendus et gouttaient sur le sol de béton. Charel reconnut divers plans du quartier, mais aussi de ses habitants. L'un d'eux montrait Rosa Navarro en soutien-gorge en train de tendre les rideaux de sa chambre. Charel avait réussi à mettre au jour la chambre noire. Aussi décida-t-elle de retourner au rez-de-chaussée. Elle avisa sa montre : tout s'était déroulé en moins de deux minutes.

Lorsqu'elle reparut dans l'entrée, Maxim McCormick l'attendait, les bras croisés, les yeux plissés et l'air suspicieux.

— Qu'est-ce que tu fabriques, la voisine ?

— Je... cherchais les toilettes...

Il fondit sur elle et s'arrêta à quelques millimètres à peine de l'adolescente. Si bien qu'elle dut reculer d'un pas. Son talon percuta la porte de la cave qui se referma comme le clapet sonore d'une trappe à souris.

— Et toi ? articula-t-elle avec difficulté. As-tu trouvé ce que... tu cherchais ?

Maxim McCormick était plus petit qu'elle. Pourtant, il la jaugea, le menton légèrement incliné. Ses prunelles sombres, presque noires, pleines de méfiance et de venin, semblaient surgir de ses arcades sourcilières plutôt que de ses paupières.

— Non. Je sais plus où je l'ai fourré, cet article.

Charel baissa la tête. Elle glissa vers la droite et marcha en direction de la porte. Dans son dos résonnèrent les pas de Maxim. D'une lenteur inouïe. D'une lourdeur accablante. Qu'allait-il faire ? Lui asséner un coup derrière la tête? Lui lier les poings et les pieds pour l'enfermer au sous-sol? Pourtant, l'anxiété ne gagna pas davantage de terrain. Son père savait où elle était. Il l'attendait. Si elle ne ressortait pas bientôt, il interviendrait lui-même. Cette certitude lui redonna du courage. Elle ouvrit la porte et mit le pied dehors. Elle respira la liberté à grandes goulées.

— Nos maisons se ressemblent trop pour que tu saches pas où se trouvent les toilettes, la voisine.

— Qu'est-ce que tu veux dire? voulut-elle savoir en se retournant une dernière fois avant de partir.

— Que t'es pas *clean*.

Toi non plus, McCormick. Toi non plus.

Elle se contenta de hausser les épaules et de rentrer chez elle, d'une allure qu'elle voulut la plus décontractée possible.

De nouveau seul chez lui, Maxim descendit au sous-sol. Il jeta un regard circulaire autour de lui. Il alla inspecter la chambre noire. Les deux portes étaient bien refermées. De même que la lumière rouge. Qu'est-ce que sa voisine avait bien pu faire là? Savait-elle quelque chose? Benjamin lui avait-il révélé leur petit secret?

Le garçon secoua la tête. Non, c'était impossible. Ils avaient trop bien planifié leurs sorties nocturnes. Et Benjamin, qui ne faisait confiance qu'à sa mère, ne parlerait jamais. Alors il remonta dans sa chambre, sans plus se soucier de Charel Martin.

Charel rentra chez elle, passa devant son père sans le voir et grimpa l'escalier comme un automate. L'homme lui emboîta le pas, penché sur son épaule.

— Alors ?

— C'est lui, affirma-t-elle simplement, sans s'arrêter.

— T'as vu les photos ?

— J'ai tout vu. Au sous-sol. Sous l'escalier.

Parvenu à la marche palière, Robert Martin saisit sa fille par les épaules et la retourna vers lui. L'attitude de son aînée l'inquiétait.

— Raconte-moi. Comment ça s'est passé ?

— Maxim était là.

— Quoi ? s'exclama-t-il ; puis, ressaisi : Que lui as-tu dit ?

Charel leva vers lui des yeux fatigués. Il comprit qu'elle avait eu son lot d'émotions fortes pour la journée. Peut-être même pour la vie.

— Va te reposer, ma Chachou, fit-il d'une voix douce et paternelle en déposant un baiser sur son front. Je prends le relais.

La jeune fille ne se fit pas prier. Elle se laissa tomber sur son lit. Elle ferma les yeux et tenta de mettre de l'ordre dans ses pensées. Les images de la fouille éclair qu'elle venait de mener se mêlaient aux accusations de Maxim McCormick. La voix perfide du garçon résonnait sans arrêt dans sa tête.

Il a agressé son père...

Pourquoi Joseph et Anita Cohen diraient-ils une chose aussi odieuse à propos de leur petit-fils? Ça pourrait expliquer leur mépris envers lui. Et pourtant, pourquoi l'hébergeaient-ils s'ils doutaient de lui? Tout ça n'avait aucun sens. Quelqu'un qui fait du bénévolat, qui aide ses voisins, qui est la générosité incarnée ne peut avoir commis une telle agression. Non, c'était impossible. C'était un accident, c'est tout.

À moins que... à moins qu'il le fasse pour alléger sa conscience?

Charel trembla. Une larme glissa sur sa joue. Elle avait peut-être réussi à déjouer Maxim McCormick, mais lui, il avait semé en elle le doute.

Plus tard en soirée, alors que la lune brillait haut dans le ciel, Robert Martin rendit une visite de courtoisie à son voisin. Il n'eut pas le temps de frapper à la porte que celle-ci s'ouvrit en coup de vent sur le père du garçon. À croire qu'il l'avait vu arriver.

— Bonsoir, Adrian.

— Qu'est-ce que vous voulez ?

Le ton cinglant de l'homme le prit au dépourvu.

— J'aimerais vous parler de votre fils. Puis-je entrer ?

— Qu'est-ce qu'il a fait ?

— Je crains que ça ait un lien avec le meurtre du jeune Kim Nguyen...

Le sang d'Adrian McCormick ne fit qu'un tour. Le corps raide, il jaugea son voisin, le menton incliné sur sa poitrine. À ce moment précis, il ressemblait terriblement à son fils. En plus vieux, en plus grand, en plus corpulent.

— C'est à propos des photos qu'il prend...

— Pour qui vous prenez-vous, Martin ? Vous accusez mon fils, maintenant ? Vous voulez vous disculper aux yeux de la police de la Cité ? C'est ça ?

Robert Martin grimaça. Les deux hommes ne s'appréciaient guère, certes ; leurs relations avaient toujours été minimales, sans plus. Bonjour, bonsoir, et hop ! chacun chez soi. Les récents événements n'aidaient pas à assainir le climat entre eux.

— Écoutez, Adrian. Je...

— Non, je n'écouterai pas vos conneries, Martin ! Allez-vous-en ! Si on a quelque chose à reprocher à mon fils, alors que la police fasse son travail ! Un point c'est tout.

Et la porte claqua avec violence. Du coup, un soupçon traversa l'esprit de Robert Martin.

Et si le père savait ce que mijotait son fils? Et s'il était son complice?

De l'autre côté de la porte, Adrian McCormick rageait. Personne ne viendrait lui dire quoi faire. Surtout pas dans sa propre maison. Ce Robert Martin l'avait assez enquiquiné. Pas question qu'il s'en sorte en écorchant son fils au passage. Maxim avait bien des défauts, mais il n'avait aucun lien avec Kim Nguyen.

L'homme descendit au sous-sol et investit la chambre noire pour l'inspecter. Lorsqu'il vit les clichés suspendus à la corde, il décida de fouiller la pièce de fond en comble. Dans un bac glissé sous le comptoir, il mit la main sur la collection personnelle de son fils, reliée dans cinq albums.

Bien des jeunes s'amusent avec des ordinateurs. Pour le seul plaisir, ou dans le dessein avoué de faire du mal. Pour Maxim, c'étaient les photos. Sa passion avait vite dégénéré lors du divorce de ses parents, puis avec la disparition soudaine et inexpliquée de sa mère. Victime d'insomnie chronique, il s'était mis à vadrouiller la nuit dans le quartier et jouait aux espions de service. Ce qui l'avait amené à découvrir les petits travers de ses voisins, à voir au-delà du masque que certains portaient d'un air badin, à distinguer le vrai du faux.

Adrian McCormick tomba des nues. Il n'aurait jamais cru que le passe-temps de son fils ait pu prendre de semblables proportions.

— Qu'est-ce que tu fais dans mes affaires ?

L'homme releva la tête vers son fils. Il ne l'avait pas entendu arriver.

— Pourquoi tu fais ça ? demanda-t-il en étendant le bras au-dessus des albums ouverts.

Certain que son père allait le sermonner et le priver de sortie pendant des semaines, il déballa tout. Sans éprouver le moindre sentiment de culpabilité ou de honte.

— C'est pas pour l'argent que je pourrais en tirer, tu sais. C'est juste pour le plaisir, même si ça fait cinglé. C'est ma façon à moi de savoir si les gens sont honnêtes. C'est une forme d'art. De l'art critique, si tu veux. Un regard que je porte sur ma société et mon entourage. Tout le monde a quelque chose à se reprocher. Quand j'ai appris, pour Kim, j'ai décidé de voir si certains de mes concitoyens étaient prêts à affronter la réalité. Leur réalité. J'ai joué avec eux. Je les ai mis sur les dents. Pour les obliger à se révéler aux autres. Pour les obliger à enlever leur masque.

McCormick père se releva, les yeux écarquillés de stupeur. Il n'arrivait pas à croire ce qu'il entendait. Il n'arrivait pas à croire que son fils de quinze ans pût être aussi malicieux. Du coup, il admira la pensée articulée que son fils avait développée avec les années. Un sourire malicieux se dessina imperceptiblement sur ses lèvres.

— Tout ça fait de toi un complice momentané des suspects.

— Je sais.

— Et comment Robert Martin peut-il connaître l'existence de ta petite collection ?

Maxim n'eut pas besoin de réfléchir longtemps.

— Sa fille est venue ici, aujourd'hui. Elle a peut-être vu quelque chose.

— Alors il faut se débarrasser de ça au plus vite.

— Mais…

— Il n'y a pas de *mais* qui tienne, Max. C'est sérieux. Son père est venu ici, tout à l'heure. Il sait. Il appellera les flics. Il l'a peut-être déjà fait à l'heure qu'il est…

Sans dire un mot de plus, l'homme et son fils entreprirent de faire disparaître les preuves qui pourraient nuire au garçon.

13

L'AGAÇANTE PERFECTION

Vendredi 28 avril…

Sarto Duquette descendit de voiture. Il s'entretint pendant quelques minutes avec l'agent posté en bordure de la rue. La nuit avait été tranquille. Quelques allées et venues entre la résidence des Martin et celle des McCormick. Rien de plus à signaler. L'inspecteur rajusta sa veste et s'étonna de voir le président de *Future Engineering* venir à sa rencontre.

Adrian McCormick apparut à la fenêtre de son salon. Son fils se planta à côté de lui, et ils observèrent la scène sans grande surprise. Sur un signe de tête, ils retournèrent à leur petit déjeuner.

Dans la rue, Duquette offrit une gomme à mâcher à Robert Martin.

— Non, merci. J'essaie d'arrêter.

L'inspecteur émit un petit rire. La bonne humeur de Martin perdurait. Il ne craquait toujours pas. Duquette espérait y mettre bientôt un terme.

— J'ai reçu les résultats du labo.

— Pour la canette de peinture ? fit Martin sans se démonter. J'imagine qu'on y a retrouvé mes empreintes.

Le policier jaugea son suspect principal en plissant légèrement les yeux, ce qui accentua les pattes-d'oie qui s'ouvraient en éventail vers l'orée de ses cheveux.

— Pourquoi tu fais cette tête, Sarto ? Tu sais très bien que c'est pas une preuve en soi. On aurait pu me la voler.

Preuve circonstancielle. Sans doute preuve fabriquée. Par qui ? Pour quoi ? Il en avait marre de cette enquête qui traînait. Tous semblaient se foutre de Kim Nguyen. Tous semblaient avoir quelque chose à taire. Lui faudrait-il fouiller chacune des demeures de Côté Soleil ? Coller un agent au derrière de chaque résidant ? Comment justifierait-il cette intervention musclée à son patron ? Le chef du service aussi voulait des résultats. Sans trop dépenser les deniers publics. La Cité allait plonger sous peu dans une autre campagne électorale et le service de police devait bien paraître. La politique... Toujours la politique ! On n'arrête pas les criminels avec du sucre, bon sang !

— J'ai quelque chose pour toi, Sarto.

— Ah oui ? Me dis pas que tu mènes ta propre enquête, Robert. Ça me plairait pas du tout d'apprendre ça.

Le ton de Robert Martin se fit plus cassant.

— Faut te décider. Je collabore, oui ou non ?

Duquette opina par à-coups.

— OK. C'est quoi ton tuyau ?

— Je sais qui a pris les photos de Yann Etchevarrez. Il en a aussi pris de moi…

Robert Martin tendit à l'inspecteur les photos que Charel avait confisquées dans le casier de son frère. L'homme s'assit sur le capot de la voiture et les étudia l'une après l'autre. Elles dénotaient un voyeurisme délibéré, présentaient une chaîne d'actions précise, sous-entendaient une intention d'impliquer Martin. Cela était-il suffisant pour l'éliminer de sa liste de suspects potentiels ? Liste bien mince, il fallait l'avouer. Et si Martin s'était lui-même mis en scène ? Et s'il avait demandé à quelqu'un de prendre ces clichés ? Et si c'était lui qui avait troublé l'apparente sérénité du couple Etchevarrez ? Dans quel but ? Mais pour mieux l'éloigner de la mire des policiers de la Cité, bien sûr…

— Il s'agit de Maxim McCormick. Le jeune homme qui vit à côté de chez moi.

Sarto Duquette se rappela le rapport fait par son agent en poste. Il ouvrit un peu plus les yeux, comme si ça l'aidait à mieux entendre la suite.

— Il y a une chambre noire au sous-sol. Et dans des bacs, tu trouveras de formidables albums de famille des habitants du quartier. C'est probablement lui qui faisait entrer Kim Nguyen.

— Oui, ça se peut, dit l'inspecteur d'un air songeur. Et comment as-tu eu ces informations, dis-moi ?

— Je suis un gars de la sécurité. Je connais des choses. J'en apprends d'autres…

L'inspecteur se méfiait toujours de Martin, c'était l'évidence même.

— Tu perds rien à aller voir, Sarto. Après tout, ton enquête piétine, non ? Tu peux pas négliger de nouveaux faits.

L'inspecteur se remit debout et fourra les photos dans la poche de sa veste.

— Je t'ai à l'œil, Robert. Ne l'oublie pas.

Robert Martin le salua et rentra chez lui. Benjamin et Éva lui demandèrent ce qui se passait, mais il ne répondit rien. Il se planta à son tour devant la fenêtre du salon et observa Duquette qui parlait avec l'agent qui montait la garde. Au bout d'une quinzaine de minutes, trois autres agents le rejoignirent et ils mirent le cap sur la résidence des McCormick. Robert Martin aurait donné son âme au diable pour assister à l'interrogatoire.

Maxim et Adrian McCormick n'avaient apparemment rien à cacher. Ils laissèrent l'inspecteur de police entrer chez eux et collaborèrent de façon exemplaire. Même si les policiers n'avaient aucun mandat de perquisition, les

McCormick autorisèrent qu'on fouille leur maison. Polis, tantôt souriants ou affectés, personne n'aurait pu dire qu'ils jouaient la comédie. Pas même Sarto Duquette, qui avait pourtant appréhendé plusieurs mécréants de tout acabit au cours de sa carrière mouvementée.

Les trois agents qui l'accompagnaient investirent la chambre noire aménagée au sous-sol. Ils ne trouvèrent pas la moindre trace d'une collection de photos particulières ou suspectes. Les seules que Maxim prétendait posséder se trouvaient à l'étage. Néanmoins, on passa la maison en revue, poubelles incluses. Rien, sinon de vieux albums de famille, du temps où elle était encore complète, ainsi que des clichés que Maxim avait l'intention d'exposer au Grand Collège d'études internationales pour la fin de l'année.

— C'est quoi le thème? demanda Duquette.

— La vie de tous les jours.

— T'as du talent.

— Merci, monsieur.

— Le numérique, ça te tente pas?

— Non, je suis pas très techno. Je préfère faire les choses de mes propres mains. Et j'aime mieux les petits défauts qu'une beauté factice ou virtuelle créée à l'aide d'un logiciel. Ça rend les choses plus vraies. Plus sincères.

L'inspecteur acquiesça, un petit sourire de connivence accroché aux lèvres. Il comprenait parfaitement le garçon. Il se sentait comme lui.

Pire peut-être. Ses collègues de travail le qualifiaient affectueusement de technophobe. Il n'avait même pas de téléphone cellulaire.

Maxim McCormick se convainquit que l'inspecteur mangeait dans sa main, qu'il l'aimait bien. Ce qui était la vérité. Alors le garçon se permit d'étaler son savoir, histoire d'impressionner l'homme, d'imposer le respect.

— Vous savez ce qu'a répondu Luis Buñuel à Catherine Deneuve, pendant le tournage de *Belle de jour*, alors qu'elle tenait mordicus à refaire une scène parce qu'elle jugeait que sa performance n'avait pas été parfaite?

— *Belle de jour*? fit l'inspecteur en émettant un sifflement d'étonnement. Ça fait un bail!

McCormick fils sourit à pleines dents.

— Il lui a dit que…

— Que la perfection est agaçante, compléta l'inspecteur en lui faisant un clin d'œil.

Le sourire de Maxim se crispa. Les traits de son père se recouvrirent d'ombre. Cet inspecteur avait de la culture et de la mémoire. Il ne fallait donc pas le mésestimer. Ni se montrer plus malin que lui.

— Vous aimez les vieux films français, inspecteur? s'informa Adrian pour créer une diversion.

— J'aime surtout les réalisateurs espagnols.

Sarto Duquette tourna la tête vers la cheminée. Le tablier de marbre était si propre qu'il pouvait s'y mirer. Un petit détail, qu'il avait jusqu'alors jugé anodin, refit surface. Il ferma les yeux et se revit, quelques minutes plus tôt, au sous-sol des McCormick, tandis que ses hommes fouillaient la chambre noire. Dans un coin se trouvait un foyer à combustion lente. Des traces de cendres, mal balayées, maculaient la céramique. Il rouvrit les yeux et demanda, toujours en fixant la cheminée :

— Vous vous servez souvent du foyer, en bas ?

— Quelquefois seulement.

— Je crois que vous vous en êtes servis dernièrement, non ?

Sur le canapé devant lui, Maxim McCormick se mit à gigoter. L'inspecteur fit semblant de ne rien voir.

— Mon fils adore faire griller des guimauves, pas vrai ? dit Adrian en donnant un léger coup de coude à Maxim.

Celui-ci, craignant que des trémolos trahissent sa nervosité, répondit d'un simple hochement de la tête.

Sarto Duquette porta son attention sur sa montre, puis se leva. Il venait de mettre le doigt sur quelque chose qui clochait dans la belle façade des McCormick. Quelque chose qui, du coup, rendait la situation beaucoup moins *parfaite*. Quelque chose qui allait peut-être donner du crédit à la thèse de Robert Martin. Ses hôtes l'imitèrent, heureux que l'entretien se termine enfin. Alors l'inspecteur décida de passer à l'attaque, question de voir où ça le mènerait.

— Je peux jeter un coup d'œil à votre garde-manger ?

— Pour quoi faire ?

— Pour voir s'il y a des guimauves, bien sûr.

Les deux hommes se toisèrent en silence.

— Seriez-vous en train de supposer que nous vous avons menti, inspecteur ? demanda Adrian McCormick d'un air bonhomme.

— Je n'insinue rien, monsieur. Je mène une enquête. C'est différent. S'il n'y a pas de sac de guimauves dans votre garde-manger ou dans votre poubelle ou bien dans le bac de recyclage, alors là, j'avoue que j'en viendrais à certaines conclusions.

Sans quitter des yeux les deux nouveaux suspects, Duquette émit un claquement de la langue. Ses hommes galopèrent vers la cuisine. Après quelques secondes de remue-ménage, ils revinrent dans l'entrée. L'un d'eux tenait dans sa main droite un sac de guimauves à moitié vide. Maxim lança à l'inspecteur un sourire victorieux. Pour ne pas dire arrogant.

— Bien. Je vous remercie, monsieur McCormick. J'apprécie votre collaboration. Je vous souhaite une excellente journée. Au revoir !

La police débarrassa le plancher, au plus grand soulagement d'Adrian McCormick.

S'il avait tenu le coup jusque-là sans sourciller, cette fois, ses nerfs lâchèrent en bloc. Ses mains tremblèrent et il se mit à suer à grosses gouttes. Il venait de passer les pires minutes de son existence. Et ce n'était qu'un aperçu de ce qui risquait de survenir. Il aurait dû y réfléchir plus longtemps avant de se lancer dans cette galère. Mais il devait protéger son fils. Sa famille, aussi réduite fût-elle, commandait tous les sacrifices.

Il prit quelques grandes inspirations pour se calmer, puis ordonna à son fils de se préparer à partir. Sur la route qui les menait au Grand Collège d'études internationales, aucun des deux hommes n'ouvrit la bouche, trop occupé à ressasser dans sa tête l'interrogatoire mené par l'inspecteur Duquette.

Charel descendit de voiture. Benjamin la quitta aussitôt, l'air fort contrarié. Il n'arrêtait pas de maugréer. La jeune fille devina que le vol dont il avait été victime le tracassait au plus haut point. Pourtant, il ne pouvait pas le signaler car, ce faisant, il devrait révéler la nature de l'objet qui lui faisait tant défaut. Il était donc tenu au silence malgré lui, alors que toutes les fibres de son corps voulaient crier à la révolte.

Tandis qu'Éva regagnait l'entrée du personnel, Charel se dirigea vers celle des élèves. Christine Lambert l'y attendait. Elle parla du voyage en Europe qu'elles feraient bientôt ensemble. Charel ne l'écoutait que d'une oreille. Elle suivait les déplacements de Daniel, non loin, qui filait sur son scooter.

Sa compagne s'en aperçut. Elle ne put réprimer une grimace de jalousie. Leur amitié battait de l'aile. Quand la Navarro ne se mettait pas entre elles, Daniel Cohen prenait le relais. *Au moins*, se dit-elle en soupirant, *la Côte d'Azur va changer la donne et resserrer nos liens.*

— Qu'est-ce que vous attendez, tous les deux, pour sortir ensemble, hein ?

Charel baissa la tête pour cacher son embarras.

— Je sais pas.

— Qu'est-ce que tu sais pas ? Tu l'aimes et il t'aime. Alors c'est quoi le problème ?

— J'ai entendu des rumeurs à son sujet…

— Il y a des rumeurs qui circulent chaque fois qu'il y a un nouveau au collège, tu sais. Et depuis quand tu t'en fais pour si peu ?

— Il paraît qu'il n'y a pas de fumée sans feu, déclara Charel, la voix hésitante.

Christine la toisa d'un air inquisiteur. Son amie avait vraiment changé depuis les derniers jours. Sans doute une sorte de choc post-traumatique. Elle avait besoin de s'évader, de changer de décor, de fréquentations. Nice, Cannes, Monaco et leurs splendides plages lui feraient le plus grand bien.

La cloche retentit dans le ciel gris. Des groupes d'élèves traînèrent encore un peu sous la pluie qui s'intensifiait. Ils devisèrent nonchalamment, puis de fortes bourrasques de vent les convainquirent de rentrer dans l'école. Les jeunes déferlèrent vers la section des casiers avant de se rendre en classe.

Lorsque Charel ouvrit le sien, une dizaine de photographies cascada sur elle, se déversant ensuite sur le sol. Christine se pencha pour en ramasser une.

— C'est quoi ça? On dirait que... mais c'est toi!

Elle retourna quelques photos et les tendit à sa camarade qui se reconnut sur l'ensemble des clichés. L'une d'elles attira son attention: on la voyait entrant à la Clinique des Femmes de la Cité en compagnie de Rosa Navarro. Tout son être frémit. Elle jeta un regard anxieux autour d'elle, à la recherche de celui qui l'espionnait, à la recherche de Maxim McCormick. Car ce ne pouvait être que lui. Son regard tomba plutôt sur Daniel Cohen qui approchait, un sourire imprimé sur son visage.

— Salut, vous deux. Vous venez?

Charel se dépêcha de récupérer les photos et de les jeter au fond de son sac.

— Ça va? s'informa le garçon.

— Oui, oui, répondit-elle un peu sèchement. T'as pas besoin de nous attendre, tu sais.

Daniel lorgna du côté de Christine, qui haussa les épaules.

— Bon, eh bien, on se rejoint là-haut, rétorqua-t-il d'un air déçu.

— C'est ça. À tantôt.

Le garçon soupira, puis tourna les talons. Lorsqu'il disparut au bout de l'allée de casiers, Christine attrapa son amie par le bras.

— À quoi tu joues, Charel? Tu vas laisser des rumeurs stupides dicter tes amours? Voyons, je te croyais plus courageuse que ça! Va le retrouver et demande-lui. C'est tout!

Charel leva vers elle un visage défait.

— Je veux savoir, mais la vérité me fait peur. Il me semble que c'est pas si difficile à comprendre!

Elle referma la porte de son casier et s'en alla.

Abandonnée à son incompréhension, Christine écarquilla les yeux. Elle ne savait plus quoi faire. Chaque mot qu'elle disait, chaque geste qu'elle tentait se retournait contre elle. Elle avait beau essayer de se montrer gentille, généreuse et avenante, rien n'y faisait. Sa meilleure amie la délaissait. Le lien qui les unissait était cassé, rongé, trafiqué. Du coup, elle se mit à douter. Il restait encore deux mois avant leur départ. Deux longs mois… Bien des choses pouvaient se passer d'ici là. Comme le désistement impulsif de son amie, notamment.

De retour de l'école, Charel vola vers la maison de Rosa. Elle avait besoin de lui parler, de se confier, de lui montrer les horribles photos qu'on avait prises d'elles et qui menaçaient leur secret.

Un énorme camion blanc se trouvait dans l'allée qui menait à la villa. Des hommes allaient et venaient entre le gros véhicule et le foyer des Navarro, transportant boîtes et meubles. Aucune trace des propriétaires. Les fenêtres dénudées n'auguraient rien de bon. À croire qu'ils étaient déjà partis, qu'ils avaient déjà fui l'opprobre social. Sûrement voulaient-ils refaire leur vie ailleurs. Était-ce seulement possible ? Le télévangéliste était connu dans tout le Pays. Et personne ne le portait plus dans son cœur depuis les accusations de fraude qui pesaient contre lui. Rosa aurait-elle accepté de fuir sans d'abord le dire à son amie ? Sans un dernier mot, ni un adieu ?

— Charel…

Une voix familière la tira de son hébétude. Elle tourna la tête et reconnut Daniel, près d'elle.

— J'aimerais te parler, souffla-t-il, la voix brisée par l'émotion.

— Je... Il va se remettre à pleuvoir, dit-elle. Je vais rentrer.

— Non, lâcha-t-il soudain pour la retenir. Non, reste. S'il te plaît.

Alors elle demeura là, bien qu'au fond d'elle, elle eût préféré s'enfuir à cent mille lieues de Côté Soleil. Tout comme Rosa. Elle s'imagina un endroit où le jour ne se levait jamais sur les mauvaises surprises, où la nuit ne servait pas à dissimuler la traîtrise. Un pareil lieu n'existait-il que dans les rêves? Elle espérait que non.

— Christine est venue me voir, après les cours. Elle m'a dit que tu t'inquiétais.

Elle aurait dû s'en méfier. Christine était incapable de garder quelque chose pour elle. Toujours prête à se mêler des affaires des autres, à se croire supérieure. On ne pouvait rien lui confier sans risquer de le voir étalé sur la place publique, sans risquer un jugement de la Cour suprême. Il fallait à tout prix qu'elle mette son grain de sel, qu'elle dise ce qu'elle en pensait, même quand c'était inapproprié. *Merde!* voulut crier Charel. *Et re-merde!*

Daniel se lança. Les mots se bousculaient au bord de ses lèvres. Il bégayait, il pleurait. Et Charel l'écouta.

— Je sais ce que McCormick dit à mon sujet...

L'adolescente baissa la tête. Il voulut lui prendre la main, mais se ravisa.

— Il a raison.

Charel releva la tête. Elle ne respirait plus. Elle s'était attendue à ce qu'il nie. Mais là, à ce moment précis, elle refusait d'entendre cette vérité qui se révélait odieuse.

— J'ai tué mon père…

La rue disparut. De même que les arbres, les maisons, les voitures. Un éclair la frappa de plein fouet à la poitrine. La vérité l'aveuglait subitement d'une lumière trop puissante, pulvérisait d'une manière instantanée toute autre image qui existait. Elle se sentit défaillir. Elle avait besoin d'une chaise, d'un ami… de n'importe quoi pourvu qu'elle y trouve appui.

— Je l'ai tué, Charel. Mais pas de la façon dont tu te l'imagines. Pas comme McCormick le prétend.

Charel ne savait plus si elle devait fuir, ou crier à l'aide, ou écouter, juste encore un peu. Tout se confondait dans son esprit. Daniel se rapprocha d'elle. Pourtant, elle ne le voyait plus. Elle n'entendit que ses mots, soufflés à son oreille.

— L'an dernier, poursuivit-il, des voleurs sont entrés chez nous par effraction. Nous étions là, mon père et moi. Mais j'ai été incapable de réagir. J'ai eu la frousse de ma vie. Je me suis caché. Tu comprends ? J'ai été le pire des lâches. Et je le suis probablement encore aujourd'hui...

Alors la lumière crue qui l'éblouissait se tamisa. Côté Soleil reparut peu à peu autour d'elle. Son cœur se remit à battre. Sa poitrine expulsa enfin l'air qu'elle retenait depuis plusieurs secondes. À ses côtés, Daniel pleurait.

— Chaque instant de ma vie, gémit-il, je vis avec le sentiment d'avoir abandonné mon père. J'ai tué ses rêves et sa vie. J'ai tué son corps qui ne répond plus à sa volonté...

Daniel hoqueta affreusement. La conscience alourdie par sa lâcheté, il s'éloigna. Charel tendit le bras et le força à revenir auprès d'elle. Elle prit son visage entre ses mains, lissa ses cheveux vers l'arrière, plongea son regard dans le sien, puis le pressa contre elle. Elle ressentait contre son cœur les sanglots de son amoureux.

Alors, pour la première fois, ils s'embrassèrent, ils s'aimèrent. Là, au beau milieu de la rue. Se foutant éperdument des autres.

14

LES RÉCIFS DE LA VIE

Samedi 29 avril...

Robert Martin se réveilla, le torse trempé de sueur. Une impression de suffoquer le terrassait. Il sauta au pied de la causeuse de son cabinet privé, s'étira en bâillant. Les muscles de son dos lui arrachèrent quelques gémissements de douleur. Il dormait mal depuis qu'il avait abandonné le lit conjugal. Hors de question d'y retourner, toutefois. Sans doute devrait-il songer à se procurer un divan-lit. Il lui faudrait aussi changer de maison... Il fit la moue. Il n'aurait jamais cru qu'un jour il en arriverait là. Mais à bien y penser, pouvait-il y avoir une autre issue ? Les histoires d'amour se terminent toujours mal : ou l'un quitte l'autre, ou l'un meurt, ou bien, à bout de souffle, ils se séparent d'un commun accord. Peu importe l'option, le couple se dissout inévitablement. Il n'y avait donc rien à faire. La responsabilité de l'échec ne lui incombait pas entièrement. Dès les premiers regards, leurs sentiments étaient destinés à s'effriter. *Alors autant passer à autre chose et oublier Éva tout de suite*, se dit-il en s'aspergeant le visage d'eau froide. Il tendit le menton devant le carré de miroir. Sa barbe se parsemait de poils poivre et sel.

Il enfila les vêtements de la veille et monta à la cuisine, l'air fripé et un peu vaurien. Le silence régnait dans la maison. Elle lui parut grande, vide, désincarnée. Une maison où l'amour ne fleurissait plus, était-ce encore un foyer ? Il actionna la cafetière, puis alla récupérer le journal, sous le porche. Lorsqu'il l'attrapa, une enveloppe beige glissa sur le sol. L'homme se raidit en clignant des yeux. Il jeta un regard sombre vers la résidence des McCormick, puis il ramassa l'enveloppe.

À l'intérieur, encore des photos. De Benjamin, cette fois. En compagnie de Kim Nguyen. Des photos de nuit, prises dans le quartier. Les deux garçons donnaient l'impression de bien s'entendre.

Robert Martin tomba des nues. Deux convictions s'enracinèrent dans son esprit. D'abord, Sarto Duquette avait mal fait son job. L'inspecteur prétendait qu'aucune collection suspecte n'avait été retrouvée chez les McCormick. De la foutaise ! Et Maxim McCormick, sachant probablement d'où venait la plainte, se vengeait de son voisin en continuant de le harceler. Les photos existaient bel et bien. Le garçon les cachait quelque part. Mais où ?

L'autre certitude concernait son fils. La taupe qu'il cherchait depuis deux semaines ne pouvait être que Benjamin. Un autre qui le trahissait sous son propre toit. C'était probablement lui, le *Fantôme*. Ou les trois réunis.

Ne restait plus que Charel. Pouvait-il compter sur la loyauté de son aînée? Il ne le savait plus. Il n'avait cependant pas le choix de faire confiance à quelqu'un s'il voulait trouver les preuves qui se dérobaient à l'enquête de Duquette.

Nu-pieds, il se hasarda sur le parterre. Il s'arrêta à côté de la voiture du policier qui montait la garde devant sa résidence. Il frappa deux petits coups contre la vitre. L'agent en service sursauta. La vitre coulissa dans la portière.

— Il y a un problème, monsieur Martin? s'informa l'agent.

— J'avais envie de vous demander si quelqu'un serait pas venu chez moi, ce matin, à part le camelot... Mais, comme vous m'avez même pas vu arriver, je me dis que ça sert à rien de vous poser la question. J'ai déjà ma réponse. L'inspecteur Duquette sera ravi d'entendre ça!

L'agent descendit aussitôt de voiture.

— Quelqu'un est venu vous importuner, monsieur Martin?

— Oui. Et je pensais que vous me diriez qui c'était. À croire que vous êtes là pour faire des mots croisés!

Robert Martin aimait faire du *rentre-dedans*, surtout quand il prenait les autres en défaut.

Ça lui donnait l'impression de les dominer. Pourtant, l'agent ne se laissa pas impressionner.

— Que s'est-il passé?

— On est venu me porter ça.

Il exhiba les photos. L'agent ne broncha pas.

— Vous m'accusez de mal faire mon job, monsieur. Si j'ai rien vu d'étrange, ce matin ou cette nuit, c'est peut-être parce que personne n'était là. C'est peut-être vous qui avez placé ça devant chez vous. Tout simplement. Juste pour faire suer l'inspecteur Duquette. Et moi en même temps.

Robert Martin comprit que rien n'avait changé depuis la veille: il était toujours le suspect numéro un dans une histoire qui prenait des proportions inquiétantes. Alors il fit volte-face et s'en retourna chez lui. Il grimpa l'escalier et fit irruption dans la chambre de son fils. Elle était vide. La salle de bains aussi. Benjamin brillait par son absence.

— Qu'est-ce qui se passe, papa? demanda Charel d'une voix endormie, la tête dans l'entrebâillement de la porte de chambre.

— Où est ton frère?

— Il est parti à son entraînement de soccer, fit Éva qui s'amenait à son tour. Comme tous les samedis... Qu'est-ce qui se passe?

— Rien, affirma-t-il, une affreuse grimace accrochée aux lèvres. Habille-toi, Charel, et viens me rejoindre dans mon cabinet.

La jeune fille voulut en savoir davantage, mais son père disparut dans l'escalier. Sa mère s'approcha d'elle, l'air inquisiteur.

— Depuis quand il t'autorise à aller dans son bureau?

Charel se contenta de baisser la tête et de rejoindre son père en vitesse. Éva resta là, plantée au milieu du corridor, à regarder dans le vide. Tout lui échappait, à elle aussi. Elle n'y comprenait plus rien. À quel moment précis leur destinée familiale avait-elle commencé à se fragiliser, à se fractionner? Elle remonta le temps, au gré des souvenirs qui se présentaient à elle. Elle n'aurait pas su dire quand cela avait débuté. Probablement depuis fort longtemps.

Charel enfourcha le scooter de Benjamin et quitta le quartier.

Le soleil dardait ses rayons avec puissance. Pour la première fois depuis le début du printemps, la jeune fille ne portait pas de veste. Bras dénudés, verres fumés sur le nez, elle savourait la chaleur de l'été qui osait enfin poindre à l'horizon.

Le trafic tardait à envahir les rues de la Cité endormie. Le centre-ville était étrangement calme et désert. Plus elle filait vers l'est, plus les quartiers s'appauvrissaient. Graffiti, affiches sales et mal collées, fenêtres placardées et édifices en ruine gâtaient le paysage urbain. À un coin de rue, attendant le feu vert pour continuer sa route, elle remarqua sur le bitume du verre brisé. Puis, à quelques mètres de là, une énorme tache sombre. De l'huile? Du sang? Elle préférait ne pas le savoir.

Loin, très loin de chez elle, elle bifurqua à gauche dans la 152ᵉ Rue. Elle roula à peine une cinquantaine de mètres et dut rebrousser chemin en raison de travaux de réfection de la chaussée. Alors elle s'aventura dans la ruelle, entre la 151ᵉ et la 152ᵉ, tentant de repérer l'adresse que son père lui avait donnée. Son attention se porta plutôt sur un homme ivre qu'elle faillit happer. Titubant au sortir d'une taverne illégale, il s'écrasa sur le sol et ronfla illico, la tête posée sur un oreiller de déchets. Un chien surgit d'une benne renversée et se mit à courir derrière elle. Il jappa avec force, l'écume dégoulinant de sa gueule. Elle enfonça l'accélérateur, et le chien abandonna bientôt sa folle poursuite.

Enfin, elle arriva. Elle coupa le moteur du scooter, enleva son casque et gara l'engin contre la clôture de métal. Elle repoussa le portillon qui grinça et pénétra dans la cour arrière de la modeste maison en rangée où habitait Yssa Victorin. L'endroit, qui commençait à fleurir, était assez joli. Avec tout un pan de mur jaune maïs, l'ensemble évoquait la Méditerranée.

De vieux meubles en bois agrémentaient le patio. Trois vignes formaient une tonnelle et promettaient de produire quelques raisins et un peu d'ombre pendant la saison chaude. Dans un coin, un carré de terre fraîchement retournée délimitait un potager.

La porte de la maison s'ouvrit sur Yssa, surprise de découvrir quelqu'un dans son jardin.

— Qu'est-ce que tu fais là? s'enquit-elle. Tu peux pas faire comme tout le monde et passer par-devant?

— J'aimerais qu'on parle, s'il te plaît, dit-elle en répondant à la première question. Ça sera pas très long.

Yssa observa la visiteuse de la tête aux pieds. Ce dont elle voulait l'entretenir devait être foutrement important pour qu'elle se présente chez elle sans avertir, à l'heure matinale des Témoins de Jéhovah. Elle voulut l'envoyer promener, lui dire qu'elle n'avait pas de temps à perdre, qu'elles n'avaient rien en commun, mais elle se doutait bien du motif de sa visite. Et d'une certaine manière, parler de Kim lui faisait du bien.

— Entre, fit-elle. Je vais nous faire du thé vert.

Charel, qui trouvait en général le thé trop amer, accepta néanmoins l'offre. Elle ne savait pas à quoi s'attendre en entrant chez Yssa.

D'emblée, l'étonnement l'étreignit. Et le ravissement aussi. La belle mulâtre et sa mère ne roulaient pas sur l'or, ce qui ne les empêchait pas de faire montre de bon goût. Sans fioriture, d'une propreté éclatante, la maison des Victorin était invitante à souhait, modeste et coquette. Le choix des couleurs s'harmonisait avec le mobilier un peu démodé.

— Ta mère est pas là?

— Non, elle travaille aussi la fin de semaine. Sept jours sur sept...

La bouilloire siffla. Yssa mit deux sachets dans une théière chinoise avant d'y verser de l'eau chaude. Elle la posa sur la table de la cuisine exiguë, ainsi que deux minuscules tasses. Le parfait petit kit bon marché qu'on trouvait sans difficulté dans le quartier chinois ou les magasins Tout à 1 $. Ou encore dans les ventes-débarras qui, dans l'est de la Cité, devaient pulluler au cours de l'été.

— Alors, qu'est-ce que tu veux cette fois? demanda Yssa tandis que le thé infusait.

Charel chercha ses mots. Elle se racla la gorge.

— Est-ce que Kim t'a déjà parlé de mon frère?

— Ton frère?

— Oui, Benjamin.

Yssa versa à boire et proposa un peu de miel à sa visiteuse. Celle-ci accepta. Elle prit la tasse entre ses mains et la garda ainsi tandis que la belle mulâtre sirotait son thé. Elle but une gorgée. Pour la première fois, l'amertume du thé ne lui déplut pas. Yssa réfléchit un court instant.

— Non, je crois pas.

— T'en es certaine ?

La petite commerçante posa sa tasse devant elle et opina en silence.

— Est-ce que tu sais si Kim entrait dans notre quartier avec la complicité de mon frère ?

— J'ai déjà dit tout ce que je savais à l'inspecteur Duquette.

Yssa vit clair dans le jeu de Charel et devina quel but elle poursuivait en la visitant aussi tôt, un samedi. Et en passant incognito par la porte arrière du jardin. Elle voulait lui tirer les vers du nez. Robert Martin, démis de ses fonctions à la tête de la sécurité de la communauté Côté Soleil, voulait damer le pion à la police de la Cité. Comme il ne pouvait plus sortir de chez lui sous peine de se faire arrêter, il mandatait sa fille pour mener une enquête parallèle.

Elle regarda sévèrement la visiteuse.

— Qu'est-ce que tu veux au juste ?

Charel demeura interdite. Son père s'était trompé, cette fois. Sa volonté viscérale d'en apprendre davantage sur Kim, et ce, au détriment de Sarto Duquette, ne tenait pas compte d'un facteur important : la volonté des autres de participer à ses démarches. Il avait cru que chacun se plierait à ses exigences, qu'il suffisait à sa fille de demander pour qu'elle obtienne ce qu'il souhaitait.

— Je vois bien ce que tu fais, tu sais, déclara Yssa. Tu viens ici pour me parler de ta famille, pour aider ton père. T'as même pas pensé une seconde à me demander si j'allais bien…

Charel s'en voulut d'avoir accepté cette stupide mission. Sa présence était déplacée, voire effrontée. Ses intentions aussi. Elle n'avait pas le droit d'insister, de s'incruster. Alors elle posa à son tour sa tasse sur la table. Au grand étonnement d'Yssa, elle lui prit la main.

— Pardonne-moi, souffla-t-elle d'une voix honteuse. Je me rendais pas compte de la peine que je te faisais.

— Tu dis ça, mais au fond, tu te fous de moi, répliqua Yssa, le cœur gros. Tu te fous de savoir comment je me sens.

— C'est faux, je t'assure.

Contre toute attente, la visiteuse ne montra aucun signe d'un départ imminent. Elle pensa à Daniel et à ce qu'elle ressentirait s'il venait à disparaître dans les mêmes circonstances que Kim Nguyen. Alors son regard s'embruma. Émue devant l'empathie de l'adolescente, Yssa se mit à hoqueter.

— Il était pas parfait, tu sais. Mais je l'aimais. Ça faisait un an que nous sortions ensemble. Il me manque tellement…

Charel se leva, contourna la table et s'assit près de la belle mulâtre. Elle la berça tout en caressant sa chevelure bouclée.

Éva alla chercher Benjamin à son entraînement de soccer et ils revinrent peu avant le coup de dix heures. Le garçon laissa tomber son sac de sport par terre et entra dans la cuisine au pas de course. Là, il ouvrit le frigo à la recherche de quelque chose à se mettre sous la dent. Il fit main basse sur le carton de jus, trois œufs durs, des bâtonnets de céleri et du pain. Il mit deux tranches dans le grille-pain, puis sortit de l'armoire assiette, verre et ustensiles. La clochette de l'appareil électrique tinta, et il s'installa à la table pour manger avec appétit. Son père se planta dans l'embrasure de la porte. Le garçon ne releva pas la tête, continuant de manger en silence. Il se détourna même un peu, pour bien signifier à l'homme qu'il ne voulait rien savoir de lui.

Robert Martin s'avança d'un pas lent. Il s'arrêta à côté de son fils et jeta sur son assiette de sandwich aux œufs les photos reçues quelques heures plus tôt. Après un premier réflexe de mépris, le garçon se mit à trembler comme une feuille. Craignant une vilaine taloche derrière la tête, il se leva d'un bond et se posta dans le coin opposé de la pièce.

— Qu'est-ce que ça veut dire ? s'enquit son père d'une voix étonnamment calme.

— Je… sais pas…

— Joue pas à l'imbécile avec moi. Je t'ai posé une question et je veux une réponse. Compris ?

L'adrénaline courait à une vitesse folle dans les veines de Benjamin ; ses poumons pompèrent l'air un peu plus rapidement.

— Je sais pas, je te dis.

Sans crier gare, Robert Martin fonça droit sur la table et la renversa de la main. L'assiette et le verre se pulvérisèrent contre la céramique. Le jus éclaboussa le mur, formant de nombreuses dégoulinades orangées, la table se retrouva contre la porte-fenêtre. Benjamin n'eut pas le temps de réagir que son père fondait sur lui.

Alertée par le bruit incongru, Éva fit irruption dans la cuisine. Elle vit, non sans stupeur, le désolant spectacle des remous familiaux se fracassant sur les récifs de la vie.

— Est-ce que c'est toi qui faisais entrer Kim Nguyen dans la communauté ? demanda le père à son fils.

— Tu es devenu fou, Robert ! fit la femme, interdite.

— Te mêle pas de ça, Éva! lui intima-t-il en lançant vers elle un index menaçant et en postillonnant de colère; puis, il se tourna de nouveau vers son fils, le traître: Réponds à ma question, bon sang!

Benjamin grimaça. Certain de recevoir la raclée de sa vie, il serra les poings.

— Oui! cria la bouche du garçon. Oui, c'est moi! Depuis le début, c'est moi que le faisais entrer! T'es content maintenant!

Touché à l'âme par un direct de la droite, invisible mais d'une puissance redoutable, Robert Martin vacilla. Éva porta les mains à sa bouche. La révélation la prenait de court elle aussi.

— Pourquoi, Ben? murmura le père, médusé. Pourquoi tu m'as fait ça?

Les mâchoires crispées, Benjamin cracha toute sa haine. Sa voix se teintait de mépris, son regard lançait des flammèches mortelles.

— Tu passais tellement de temps dans ton cabinet, à pas t'occuper de nous, que j'ai voulu savoir ce que tu y faisais, jour après jour. Alors j'ai fait faire un double de tes clefs. Et j'ai trouvé celle qui ouvrait ton bureau. J'aurais pu tout détruire, tu sais. Les dossiers, les bandes vidéo… Mais j'ai choisi de te faire encore plus mal, de te blesser là où tu t'y attendais pas. J'avais besoin d'un crack en informatique et de quelqu'un qui connaissait presque aussi bien le quartier que toi. C'est pour ça que j'ai approché Kim et Maxim. Pour te faire suer un max. Et j'ai réussi.

Incrédules, Robert et Éva écoutaient l'amertume accumulée de leur fils.

— Pourquoi? répéta péniblement l'homme.

Devant l'air médusé de son père, le garçon enfonça plus profondément le clou.

— Parce que je te déteste!

Le garçon repoussa son père et se réfugia dans sa chambre. Robert Martin attrapa une chaise et s'y laissa choir. Les deux mains sur la figure, il gémit sans qu'aucune larme inonde son regard ou ses joues.

— Pourquoi? se lamenta-t-il. Qu'est-ce que je lui ai fait, nom de Dieu!

Son épouse l'observa en silence. Elle n'aurait jamais cru qu'un jour, la peine ressentie par le père de ses enfants pût la laisser de marbre. Elle ne ressentait ni joie ni colère. Seulement une profonde et complète indifférence. Comme s'il était devenu un étranger à ses yeux. Leur couple désormais n'existait plus. Il ne revivrait jamais plus.

— Qu'est-ce que j'ai fait pour mériter la haine de mon fils?

— Tu devrais plutôt te demander ce que tu n'as pas fait, Robert, rectifia-t-elle.

— Qu'est-ce que tu veux dire?

— Depuis que tu as fondé *Future Engineering*, tu n'as plus de temps à consacrer à ta famille. Tu n'as que ta compagnie en tête, Robert. Ben a besoin de toi. Tu ne l'encourages jamais, tu n'assistes pas à ses compétitions de soccer, tu ne vérifies pas ses bulletins, tu ne sais même pas s'il est un bon élève ou un cancre. Tu ne connais rien de lui parce que tu ne prends pas le temps d'investir dans ta famille, ni de partager des activités avec lui.

— Alors tu le défends !

— Non, je tente de t'expliquer ce désastre. C'est différent.

Robert Martin se leva et fit face à sa femme.

— Mon père m'a jamais encouragé non plus, je te ferai remarquer. Il m'a jamais dit qu'il m'aimait et ça m'a pas empêché de le respecter. J'ai pas tout essayé pour me venger de lui dès qu'il avait le dos tourné. Je peux quand même pas donner ce que j'ai jamais reçu.

— Ça, riposta-t-elle avec un dédain agacé, c'est l'excuse la plus facile et la plus ridicule que se donnent les gens pour se soustraire à leurs obligations de parents, tu sais. Pas étonnant que Ben cherche à défier ton autorité. Pas étonnant qu'il ait choisi de frapper là où ton orgueil en prendrait pour son rhume !

Éva quitta la cuisine et regagna sa chambre. Elle pénétra dans l'immense garde-robe et récupéra des valises. Elle les ouvrit et y engouffra, pêle-mêle, le plus de vêtements possible. Derrière elle, Robert la regardait faire sans croire que la fin approchait. Sans croire qu'elle était déjà là, sous son nez.

— C'est pour ça que t'as pris un amant? souffla-t-il, la voix étranglée par un sanglot. Parce que je m'occupe pas assez de toi?

Éva se redressa, prête à quitter la maison.

— Je ne t'ai jamais trompé, Robert.

— Alors c'est quoi les lettres d'amour que j'ai trouvées, l'autre jour?

Un admirateur qui, lui, aurait aimé devenir mon amant. Moi, je n'étais pas prête. Parce que notre couple m'importait encore trop et que je voulais lui donner une seconde chance. Tu as tout bousillé, Robert.

— C'est qui?

— Au revoir, Robert.

Elle descendit l'escalier, rejointe par Benjamin qui traînait derrière lui une multitude de sacs qui débordaient de ses effets personnels. Il était hors de question qu'il reste là une minute de plus, que sa mère quitte la maison sans l'emmener avec elle, même s'il ignorait où elle avait l'intention d'aller. Ils emplirent le coffre de la voiture alors que Charel remontait l'allée en scooter.

— Est-ce que tu viens avec nous, Chachou? l'invita sa mère.

L'adolescente comprit ce qui était en train de se passer. Elle sentit son cœur sur le point d'éclater. Son regard papillonnait entre ses parents. Lequel choisir? Pourquoi choisir?

Elle ne pouvait pas faire une telle chose. Elle en était incapable. Éva le devina.

— Je t'appellerai ce soir, ma chérie.

Sa mère l'embrassa et monta à bord, imitée par Benjamin. La voiture roula dans l'entrée et disparut au tournant de la rue. Charel se réfugia dans les bras de son père qui, pour la première fois de sa vie, pleurait à chaudes larmes.

15

L'ÉNIGMATIQUE A

— C'est pas la faute de ta mère, tu sais.
C'est la mienne. Rien que la mienne.

Robert Martin parlait d'une voix calme,
résignée, cassée. Les mots, les phrases, les affir-
mations jaillissaient de ses lèvres tremblantes
à intervalles réguliers, après un court moment
de silence, de méditation, de retour en arrière,
de souvenirs. Leur écho résonnait dans le
salon comme si la pièce était devenue trop
grande pour lui et sa fille. Comme si rien ne
la remplirait plus complètement.

— Faut pas que tu lui en veuilles, ma
chérie. C'est moi, le responsable.

Charel écoutait, troublée, éperdue. Son
univers familial s'écroulait. D'intenses crampes
lui moulinaient les tripes, son cœur pompait le
sang qui cognait avec fureur contre ses tempes
douloureuses. Ses sourcils froncés accentuèrent
les ridules de son front, ce qui la faisait paraître
plus vieille, plus soucieuse, déjà adulte. Un
peu trop tôt.

— Je m'y suis mal pris avec elle. Avec Ben
et toi aussi. J'aimerais tellement pouvoir recommencer à zéro.

L'homme voulait rassurer sa fille, lui dire qu'un jour, tout finirait par s'arranger. Comment promettre une telle chose alors que plus rien ne dépendait de lui? Il se sentait coupable, même si au fond de lui, ses intentions les plus intimes n'avaient jamais été de faire du mal à sa famille. L'enfer est pavé de bonnes intentions, dit-on...

— Je te retiens pas, ma Chachou. Si tu veux aller vivre avec ta mère et ton frère, je vais le comprendre, tu sais. Et l'accepter.

L'adolescente se leva et se rapprocha de son père. Elle ne l'avait jamais vu dans un état semblable. Du coup, il lui paraissait encore plus vulnérable qu'un nourrisson laissé à lui-même. Pour la première fois, il osait montrer la vraie couleur de ses sentiments. Et elle l'aima encore plus pour cela.

— Mais promets-moi une seule chose, ma Charel : que tu m'oublieras pas.

Elle se blottit dans les bras de son père comme elle le faisait, autrefois, lorsqu'elle s'écorchait un genou ou perdait une de ses poupées.

Au fond de lui, Robert Martin ne put s'empêcher de se demander pourquoi ses deux enfants différaient à ce point l'un de l'autre, pourquoi l'un lui rendait la vie difficile alors que l'autre le comblait d'amour et de joie. C'était là un des nombreux mystères de la vie.

— Va te reposer un peu, souffla l'adolescente. Je vais te faire couler un bon bain chaud. D'accord?

— Non, ça me dit rien. Je vais plutôt aller marcher, m'aérer l'esprit. J'ai besoin d'air…

Le regard embrumé, l'esprit ailleurs, oscillant déjà entre les arbres du parc central, il prit congé de sa fille.

Charel tourna sur elle-même. Elle regarda au-dessus d'elle, vers le lustre qui la surplombait. Que faire? Son monde venait d'éclater et il ne lui servait à rien d'attendre le retour de quiconque. Elle se sentait trop lasse, trop préoccupée pour sortir, pour téléphoner à Daniel ou à Christine, pour se concentrer sur ses devoirs. Tout compte fait, elle préférait apprivoiser seule son chagrin, sans juges ni témoins.

Elle défila lentement dans les pièces du rez-de-chaussée, à la recherche de quelque chose qui redonnerait un sens, un peu d'espoir à sa vie. Le silence l'irrita, l'angoissa. Le vide autour d'elle l'étouffa. Elle monta l'escalier et se planta sur le seuil de la chambre de son frère. Le désordre y régnait. Dans la penderie entrebâillée, il n'y avait plus que des cintres dénudés. Les tiroirs du chiffonnier étaient ouverts, vides eux aussi. Pendant un instant, il lui sembla entendre des pas fouler la moquette et la voix de son frère vociférer derrière elle: *défense d'entrer dans ma chambre!*

Elle se retourna… Personne. Elle était bel et bien seule dans la grande maison de la rue des Magnolias.

Elle exhala un long soupir. Le bruit d'une faible sonnerie attira son attention. Elle se dirigea vers la chambre de ses parents. La sonnerie s'interrompit. Là, tout comme dans la chambre de Benjamin, elle éprouva le même sentiment d'abandon. Elle s'aventura dans l'immense garde-robe. D'un côté, les affaires de son père étaient impeccablement rangées, suspendues à des cintres. De l'autre, celles de sa mère avaient presque toutes disparu. Près de la psyché, une boîte de chaussures traînait sur une chaise. Intriguée, elle approcha et l'ouvrit. Elle découvrit les fameuses lettres d'amour adressées à sa mère.

Son dos glissa le long du mur et, les genoux repliés sur sa poitrine, elle lorgna la boîte de carton avec méfiance. D'une main tremblante, elle saisit une enveloppe et en sortit la lettre. Elle se mit à lire la correspondance passionnée.

Qui était cet homme qui écrivait les mots que son propre père aurait dû destiner à Éva? Qui était celui qui tentait de le remplacer dans le cœur de sa femme? Qui était celui qui lui donnait rendez-vous au restaurant, qui l'invitait au cinéma, qui l'emmenait en promenade à la campagne? À quel moment ces sorties avaient-elles eu lieu? À quel moment avaient-elles débuté? Comment se faisait-il que personne dans la famille ne se soit rendu compte de son infidélité?

Charel n'eut qu'une envie : brûler les lettres de cet énigmatique *A*. Comme elle les remettait dans la boîte à chaussures, elle remarqua alors la qualité particulière des enveloppes beiges, légèrement gaufrées. Son cœur arrêta de battre. Exactement les mêmes que celles utilisées par Maxim McCormick! Était-ce un simple hasard? Un garçon de quinze ans ne pouvait quand même pas compter fleurette à une femme d'âge mûr! À moins que…

Le téléphone sonna de nouveau. Charel sursauta. Elle fouilla parmi les vêtements épars et mit la main sur le cellulaire de sa mère. La femme l'avait oublié dans son départ précipité. Du bout du pouce, elle activa la touche *talk*.

— Allô!

— T'es seule? demanda une voix masculine à l'autre bout du fil. Tu peux parler?

— Ouuuui, fit la jeune fille, avec une certaine hésitation.

— Je t'ai vue partir de chez toi, tout à l'heure. Qu'est-ce qui se passe? Tu l'as quitté pour de bon?

Charel ne sut trop quoi répondre. Elle connaissait la voix de l'homme qui filtrait par les minuscules orifices de l'appareil pour l'avoir déjà entendue quelque part. Elle était cependant incapable de la replacer. Si l'inconnu avait vu partir sa mère, cela signifiait qu'il habitait tout près de leur maison.

— Tu peux venir me rejoindre, ce soir, au même endroit que d'habitude? enchaîna l'homme, visiblement excité. Je t'attendrai.

— Qui parle? demanda sèchement Charel qui comprenait peu à peu qu'elle était en train de parler à ce *A* de malheur.

— Éva?

— Je suis pas ma mère! lança l'adolescente avec une pointe de mépris.

La communication se rompit.

Aussitôt, Charel pianota sur le clavier et afficha le numéro de téléphone du dernier appel. Elle consulta la liste des numéros préenregistrés par sa mère. Le recoupement ne se fit pas attendre. Le nom d'Adrian McCormick apparut devant ses yeux ahuris.

La jeune fille demeura pantoise. Non, ce n'était pas possible! Sa mère ne pouvait pas fréquenter cet homme en secret! Pas McCormick! Pas leur propre voisin! Et son père? Connaissait-il l'identité de l'amant de sa femme?

Elle repensa à la fois où elle était tombée nez à nez avec l'homme alors qu'il sortait du bureau d'Éva. *Même au collège, ils ne se privaient pas pour se donner de doux rendez-vous!* constata Charel avec dégoût. Elle lança le téléphone contre le mur. L'appareil vola en éclats, à l'image de son propre monde en train de foutre le camp.

Elle pleura pendant un long moment. Tout lui échappait. Elle avait l'impression de ne plus connaître personne, d'avoir vécu pendant des années en compagnie d'étrangers dont elle ignorait les pensées les plus intimes. D'abord son père qui, par souci de ne pas ternir sa réputation, refusait de collaborer avec la police de la Cité. Ensuite son frère Benjamin, le *Fantôme*, qui, par mépris de l'autorité paternelle, trafiquait le système de sécurité du quartier et permettait à Kim Nguyen de ridiculiser le président de *Future Engineering*. Enfin sa mère qui, délaissée par son *workaholic* de mari, avait pris un amant…

Et elle? N'avait-elle donc rien à se reprocher? Confiait-elle toujours tout à ceux qui l'entouraient? Ne lui était-il jamais arrivé d'entretenir, au fond d'elle-même, quelques fleurs du mal? Aussi noires que la jalousie, aussi malodorantes que la gangrène des cœurs mal aimés, aussi flétries que l'échec… Ne tentait-elle pas de soustraire son côté sombre aux regards indiscrets des autres parce qu'il était incompatible avec l'image qu'ils se faisaient d'elle? Avec l'image qu'elle voulait projeter? Celle d'une fille parfaite.

Quelques jours plus tôt, Maxim McCormick avait pourtant prétendu que tout le monde camouflait quelque chose de pas très joli dans son placard. Et que si ça se trouvait, elle aussi avait des secrets à cacher…

Une ancienne douleur vint tenailler son âme. Charel ferma les yeux. Derrière ses paupières closes, une certaine photo prise par son voisin ressurgit. Elle se voyait en compagnie de Rosa Navarro, sur le point d'entrer dans la Clinique des Femmes, au centre-ville de la Cité. Un an plus tôt. La curiosité malsaine de Maxim McCormick ne datait pas d'hier.

Elle revécut également la suite, celle que l'on ne voyait pas gravée sur la pellicule, mais que l'on pouvait néanmoins imaginer, déduire, redouter.

Un an plus tôt… Après deux longs mois d'attente, de panique, de doutes, de questions mortifères, de routine chamboulée, elle avait dû se rendre à l'évidence : son petit ami de l'époque ne la rappellerait plus. Elle avait beau lui laisser des courriels ou des messages dans sa boîte vocale, se rendre sur les lieux qu'il fréquentait, il ne donnait aucun signe de vie. Elle avait approché quelques personnes pour savoir ce qui lui arrivait. En vain. Personne ne l'avait vu depuis un bon moment déjà. Il avait disparu. Comme ça, sans laisser de mot, sans le lui dire, sans se soucier d'elle, comme si elle ne comptait pas pour lui. Et comme elle ne savait pas où il habitait, elle dut abandonner ses recherches.

Charel ne comprenait pas. Après tout ce qu'ils avaient vécu ensemble, après la confiance

qu'elle lui avait témoignée, après avoir succombé à ses charmes, après avoir décidé que
ce serait avec lui qu'elle découvrirait les volup-
tés de l'union des corps… Parce qu'elle l'aimait,
parce que ce qu'elle ressentait pour lui n'avait
pas de limite, parce qu'elle s'imaginait femme,
malgré ce que bien d'autres pouvaient penser.
Non, elle ne comprenait pas qu'il ait pu disparaître au lendemain de leur première intimité. Et il ne lui était jamais venu à l'esprit
qu'il ait pu la quitter simplement parce qu'il
avait obtenu ce qu'il souhaitait : faire l'amour
avec elle.

Jusqu'au jour où elle le croisa par hasard,
au bras d'une autre, tout sourire, amoureux,
comme il l'avait été avec elle autrefois, durant
les premiers mois de leurs fréquentations.
Effectuant les mêmes gestes, répétant les mêmes
mots. Il avait à peine regardé Charel. Les lèvres
qu'elle avait tant adorées peinaient à prononcer
un simple bonjour. Alors prise au dépourvu,
aveuglée par la jalousie et le désespoir, ne
pouvant admettre cette défaite sentimentale, elle
avait lancé, devant l'autre fille qui la regardait
de haut :

— Je crois que je suis enceinte…

— C'est pas mon problème, avait-il froide-
ment répliqué.

Le couple maudit s'éloigna en ricanant.
Et son premier amour devint la pire des tra-
gédies humaines. Charel sut alors que pour

devenir une femme — comme pour devenir un homme —, il fallait d'abord accepter les conséquences de ses gestes et ne pas fuir devant ses responsabilités.

Rosa Navarro avait surpris sa peine et l'avait convaincue de lui révéler ce qui se passait. La fille du pasteur, plutôt que de se montrer outrée, plutôt que de la juger comme l'aurait sûrement fait Christine Lambert, l'emmena de force à la Clinique des Femmes qui garantirait leur anonymat. Car ni l'une ni l'autre ne voulait être surprise en train d'acheter un test de grossesse à la pharmacie. Rosa lui tint la main tout au long de l'examen gynécologique qui dura quelques minutes à peine. Les tests lui apprirent qu'elle n'avait, fort heureusement, contracté aucune maladie sexuelle et qu'elle n'était pas enceinte.

Elle l'avait donc échappé belle. Mais la vie ne se présente pas toujours comme un jeu de Monopoly : quelquefois, en passant *Go*, on prend quelques gifles monumentales qui non seulement ébranlent, mais font tomber. Charel savait qu'elle était passée à un doigt de la tragédie grecque. Elle savait aussi qu'elle ne s'en tirerait pas toujours à aussi bon compte, avec un simple avertissement. Et pendant les mois qui suivirent, son orgueil en miettes souffrit le calvaire.

Elle se jura alors de ne plus jamais refaire la même gaffe, de ne pas devenir amoureuse d'un autre manipulateur en herbe, de ne plus se donner au premier venu, aussi séduisant fût-il. De ne plus le faire sans protection juste parce que l'autre l'exigeait, au nom de l'amour et de la beauté de leurs sentiments.

Bien sûr, la honte terrible qu'elle ressentait demeura tapie dans son jardin secret, à l'ombre d'un magnifique cerisier. Ni sa mère ni son père ne se doutaient du mal qui l'avait rongé pendant des mois. Seule Rosa savait. Rosa… aujourd'hui réfugiée dans un quelconque bled perdu, espérant se refaire une vie.

Maxim McCormick le savait peut-être, lui aussi. Comme il avait su pour Yann Etchevarrez et Joaquín Navarro. Son appareil photo se faisait le témoin de ce qui l'entourait. Pis, la pellicule celluloïd en gardait des traces indélébiles pour les exposer ensuite aux personnes concernées, pour les démolir, pour les anéantir, pour les forcer à révéler leur véritable nature. Il aurait pu aussi bien lui lancer : *tout finit toujours par se savoir*. Cela lui rappela le sermon que le télévangéliste fignolait deux semaines plus tôt. Hélas, l'homme d'Église ne croyait pas si bien dire !

Oui, tout lui échappait. Aucune certitude n'existait plus. Ou si peu.

Charel saisit le heurtoir et frappa contre la porte des voisins. La lanterne du porche s'illumina et le visage d'Adrian McCormick apparut derrière l'étroite fenêtre jouxtant l'entrée.

— Qu'est-ce qu'il y a? demanda-t-il, toujours derrière le carreau, ne montrant aucune intention d'ouvrir la porte.

— Je veux vous parler!

— J'ai rien à te dire!

Et la lumière du porche s'éteignit.

— Monsieur McCormick! hurla l'adolescente en se rapprochant un peu plus de la porte. Je suis au courant de tout.

Aucune réponse, aucun mouvement.

— À votre place, je mettrais les voiles avant que mon père revienne. Lorsqu'il l'apprendra, il va vous faire la peau.

Rien ne provenait plus de la maison. McCormick était-il en train de trembler de peur? Se cachait-il dans un coin sombre? Faisait-il déjà ses valises pour fuir le quartier? Charel le souhaitait ardemment. McCormick père et fils avaient fait assez de mal à la famille Martin comme ça. Il était temps que ça cesse.

— Vous feriez bien de laisser ma mère tranquille! Est-ce que c'est compris?

Contre toute attente, la porte s'ouvrit. Adrian McCormick la domina de sa hauteur.

— Sinon quoi, ma belle Charel?

Surprise, elle recula d'un pas et, oubliant la marche derrière elle, se tordit la cheville. Elle perdit l'équilibre et tomba sur le sentier de pierres des champs qui menait au porche. L'homme descendit les marches. Une lueur vindicative brillait dans ses prunelles.

— Qu'est-ce qui se passe, ma belle ? Tu cries plus ?

L'adolescente se releva en vitesse.

— Tu crois peut-être que ton imbécile de père m'intimide ? Pfft ! Tu peux bien lui dire ce que tu voudras. Tu peux même en inventer à mon sujet. J'ai peur de personne. Et personne se mettra en travers de ma route. Est-ce que toi, tu m'as bien compris ?

Il lui tourna le dos, rentra chez lui et claqua la porte avec force.

À quelques mètres de là, le policier de garde devant la maison des Martin descendit de voiture.

— Ça va ? lança-t-il à Charel.

— Oui, oui, mentit-elle.

Et elle retourna aussitôt chez elle. Pourquoi diable avait-elle décidé d'affronter Adrian McCormick ? Pourquoi n'avait-elle pas attendu le retour de son père ? Elle regarda l'heure. Il était parti depuis plusieurs heures. *Il va bientôt revenir*, tenta-t-elle de se convaincre.

Le téléphone sonna. Elle répondit et, pour la première fois de sa vie, la voix de sa mère lui parut déplaisante.

— Nous sommes dans un petit hôtel du centre-ville, annonça-t-elle. Le *Gaudi*. Chambre 257.

— J'imagine que c'est là que tu forniquais avec ton amant. C'est dégoûtant !

Un silence pesant envahit la ligne, plein de nervosité et de honte. Éva en voulut à son époux de prendre leur fille en otage, de la manipuler pour qu'elle le choisisse lui plutôt qu'elle.

— Ton père t'a…

— Non, il m'a rien dit du tout, rétorqua Charel d'une voix sèche. Tes lettres d'amour ont fait le travail à sa place.

— Il ne faut pas se fier aux apparences, Chachou, tenta d'expliquer la mère avec douleur. Ce n'est pas tout à fait ce que tu crois…

L'adolescente ne voulut rien entendre de la défense de sa mère.

— En passant, t'as aussi oublié ton téléphone cellulaire.

— Est-ce que j'ai eu des… appels ?

— Oui, Adrian McCormick. Il te donnait rendez-vous au même endroit que d'habitude…

Cette fois, Éva se sentit dévoilée au grand jour, bien qu'elle n'eût pas grand-chose à se reprocher. Issue d'une bonne famille, se partageant entre la direction du Grand Collège d'études internationales et du bénévolat dans un refuge pour femmes abusées, elle réussissait tout de même à avoir des temps libres. Elle jouait régulièrement au tennis pour se tenir en forme et au bridge avec ses copines pour faire du papotage en règle. Mais au-delà, rien. Peu de sorties, peu de projets communs avec son époux. Avec le temps, Robert avait fini par la confondre avec les meubles de la maison. Se sentant abandonnée et seule au milieu de la foule, elle s'était peu à peu laissé conquérir par le charme discret d'Adrian McCormick. Immédiatement, elle reconnut en lui l'homme idéal : tendre, drôle, attentionné et, surtout, disponible et romantique.

Pourtant, elle n'était jamais parvenue à tromper Robert. Ébranlée, parce qu'elle ne savait plus si elle aimait toujours son époux, elle avait décidé de mettre un terme aux avances du courtisan et de donner une chance ultime à son couple. Adrian McCormick l'avait alors très mal pris. Du coup, il s'était montré sous un jour nouveau, sombre, pour ne pas dire névrosé. Il l'appelait sans cesse, lui laissait un déluge de messages, lui écrivait des lettres plus enflammées les unes que les autres. Il était même allé jusqu'à la relancer au collège.

Si elle était coupable d'une chose, c'était d'avoir permis à un autre homme de croire qu'elle était libre.

— Comment as-tu pu nous faire ça, maman ?

Éva émergea lentement de ses remords.

— S'il te plaît, ne dis pas à ton père de qui il s'agit. Ne lui fais pas cette peine. Je t'en conjure.

Elle lui demanda de venir la voir à l'hôtel, mais Charel, le cœur gros, coupa la communication. Elle s'installa au salon et attendit le retour de son père.

16

LE PIÈGE OBSCUR

Dimanche 30 avril…

Charel se réveilla en sursaut, toujours sur le sofa du salon. Elle regarda l'heure : une heure vingt-sept du matin. Son père n'était toujours pas revenu. Elle alla à la cuisine et coupa quelques morceaux de cheddar qu'elle avala goulûment. De retour dans le salon, elle se mit à faire les cent pas, ressassant les mêmes tristes idées que la veille.

Elle s'arrêta soudain devant la fenêtre et regarda la voiture du policier qui faisait le guet depuis plusieurs jours de l'autre côté de la rue. Quelque chose clochait. Elle se rappela alors que, tout de suite après son altercation avec Adrian McCormick, l'agent lui avait demandé si tout allait bien. Que faisait-il donc là ? Ne devait-il pas surveiller les moindres faits et gestes de son père ? Ne devait-il pas le suivre à la trace ?

Elle entrouvrit les rideaux et plissa les yeux pour mieux voir. La silhouette du policier se découpait à l'intérieur de la voiture. Son père avait donc déjoué la surveillance mise en place par l'inspecteur Duquette. Où était-il allé ? Quel coup, bon ou mauvais, préparait-il ?

Inquiète, elle se rua vers le policier. Elle décocha trois pichenettes contre la vitre. L'homme ne broncha pas. *Il peut bien n'avoir rien vu*, pesta-t-elle, *il dort !* Elle ouvrit brusquement la portière. L'agent ne réagissait toujours pas. Charel plissa le front. De la main, elle secoua l'homme. Le corps de celui-ci glissa lentement vers l'adolescente qui le retint de justesse. Elle le repoussa alors sur la banquette du passager. Les yeux de l'agent demeurèrent clos. Il n'émit aucun gémissement. Son souffle lent gonflait néanmoins sa chemise à intervalles réguliers. Que se passait-il ? Pourquoi ne se réveillait-il pas ? Charel recula d'un pas pour mieux étudier la scène insolite lorsqu'elle aperçut, sur le bitume, un bout de chiffon. Elle le ramassa et remarqua qu'il était imbibé. Elle le porta craintivement à son nez. Une forte odeur de chloroforme s'en dégageait. Elle jeta le tapon de tissu et lança un regard paniqué autour d'elle. Quelqu'un venait de mettre hors d'état de nuire un policier ! Était-ce le meurtrier de Kim Nguyen qui récidivait ? Cela signifiait qu'il était là… tout près… trop près ! L'image de son père se forma dans son esprit. Avait-il quelque chose à voir avec l'inconscience du policier ? Était-il passé à l'acte pour mieux fuir la surveillance de l'inspecteur Duquette ?

Les jambes flageolantes, la respiration courte, la tête lourde de questions et de suppositions, elle s'appuya un moment sur la voiture.

Elle avait beau se répéter que son père n'était pas un criminel, une petite voix cachée dans un recoin sinueux de son cerveau lui soufflait que tout pouvait être possible, même l'inimaginable. Il n'y avait qu'une chose à faire : appeler l'inspecteur Duquette pour qu'il rapplique en vitesse avec du renfort.

Elle marcha vers la maison lorsqu'un bruit sourd explosa dans l'air. Une fraction de seconde plus tard, les lumières des réverbères s'éteignirent dans un parfait synchronisme, plongeant les rues dans une obscurité totale. Charel ne put s'empêcher d'émettre un petit cri de stupeur.

Elle attendit quelques secondes, le temps que ses yeux s'habituent à la noirceur, mais le ciel couvert de nuages ne favorisait pas ses déplacements. Elle faillit piquer du nez lorsque ses pieds heurtèrent la bordure de béton qui délimitait le parterre des maisons. Elle gagna néanmoins le porche et rentra chez elle.

Machinalement, sa main chercha l'interrupteur pour faire un peu de lumière dans l'entrée. La panne électrique semblait généralisée. Elle obliqua vers le salon et, à tâtons, trouva le téléphone. Elle prit le récepteur d'une main et composa le 9-1-1 de l'autre. Elle colla l'appareil contre son oreille. Elle n'entendit aucune sonnerie. Elle recommença aussitôt, mais se rendit compte cette fois qu'il n'y avait pas de tonalité non plus. Même chose du côté du téléphone de la cuisine. La ligne était morte.

— Fudge! lâcha-t-elle, inquiète.

Elle avait besoin d'un cellulaire. Elle songea à celui de sa mère, pulvérisé dans la garde-robe, à l'étage. Non, complètement inutile. Les Navarro étaient partis. Et le poste radio du policier? Elle n'était même pas certaine de savoir de quelle façon l'appareil fonctionnait. Et Daniel? Oui, elle pouvait le réveiller à cette heure tardive de la nuit. Il l'aiderait. Un petit caillou dans la fenêtre de sa chambre et le tour serait joué. Rassérénée, elle quitta la maison et s'aventura dans les rues sombres.

Elle cheminait toujours mais, à l'aveuglette, malgré l'urgence de la situation, elle n'avançait pas aussi vite qu'elle le désirait. Les points de repère se perdaient dans la nuit noire. Les villas se ressemblaient désormais toutes. Seuls ses pas et sa respiration brisaient le silence pesant qui régnait autour d'elle.

— La nuit, chuchota une voix dans son dos, tous les chats sont gris…

Charel sursauta et fit volte-face. Elle ne voyait absolument rien. Le vent frais de la nuit et l'angoisse qui s'emparait chaque seconde un peu plus d'elle la firent frissonner.

— Qui est là?

— C'est moi.

Elle retint sa respiration afin de percevoir la présence qui se cachait sournoisement à quelques pas d'elle. Elle n'entendait toutefois que les battements affolés de son cœur. Elle avait l'impression que le pauvre muscle allait sortir de sa poitrine.

— Papa ?

Un souffle chaud se posa sur sa nuque. Elle pivota de nouveau, cherchant du regard l'indice d'une silhouette quelconque. Un faible ricanement, aussi clair que le cristal, vibra pendant un court moment.

Alors Charel prit ses jambes à son cou. Elle ne savait plus quelle direction prendre. Comme elle optait pour la droite, des pas se précipitèrent vers elle et une main lui enserra le bras. Elle hurla de terreur.

○

Anita Cohen ouvrit un œil, puis l'autre. Elle tourna la tête vers la table de chevet. L'écran analogique de son réveille-matin n'affichait rien. Elle grimaça. Alors, dans le noir absolu de sa chambre, elle perçut un gémissement lointain. Puis un autre, beaucoup plus proche.

— Arielle ? Vincent ? Rendormez-vous, mes beaux chiens !

À côté d'elle, son époux tira sur la couette et maugréa.

— Qu'est-ce qui se passe encore ? Tu ne dors pas ?

— Je crois qu'il y a une panne électrique.

— Et puis après? C'est la nuit, Anita. On n'a pas besoin de lumière. Allez, rendors-toi.

La porte de leur chambre s'ouvrit et le visage de Daniel apparut au-dessus d'une allumette qu'il tenait entre le pouce et l'index. Son allure fantomatique donna la chair de poule à ses grands-parents.

— Vous avez entendu? demanda-t-il.

Les deux vieux retrouvèrent vite leur sempiternelle mauvaise humeur.

— Tu ne peux pas frapper avant d'entrer! remarqua Josef en s'assoyant dans son lit.

— C'était comme un cri, poursuivit Daniel en avançant d'un pas. Tout est noir, dehors. Le téléphone ne fonctionne plus.

Les gémissements retentirent une fois de plus dans la maison. Tandis qu'Anita et Josef se munissaient de chandelles, Daniel récupéra dans la penderie une lampe de poche. Le garçon en tête, ils descendirent ensuite au rez-de-chaussée. Vincent et Arielle, remis de leur accident, grattaient le bas de la porte en se lamentant.

— Qu'est-ce qui leur prend? s'enquit Josef Cohen d'une voix agacée. Ils ne peuvent pas nous laisser dormir, ces deux-là!

Daniel enferma les chiens dans le salon, puis enleva les loquets de la porte et l'ouvrit. Il promena la lampe devant lui. Le faisceau balaya le parterre, puis la rue.

— Tu vois quelque chose? demanda la grand-mère en tenant le collet de sa robe de chambre bien fermé sur sa gorge.

Il sortit de la maison et dirigea la lampe vers une silhouette étrange qui s'éloignait dans la rue.

— Je sais pas trop. Je vais aller voir.

Il referma la porte et descendit dans la rue. Le faisceau illuminait de façon saccadée la chaussée, ricochait par à-coups sur les maisons, les arbres, les voitures. Devant lui, la silhouette s'immobilisa un instant, puis pressa le pas. Daniel en fit autant.

— Hé, vous! cria-t-il. Arrêtez!

Il se mit à courir. La silhouette aussi. Alors une forme sombre jaillit de derrière un arbre et un puissant flash l'aveugla. La lampe de poche roula par terre et il plaça son bras gauche en visière. Avec une célérité inouïe, il récupéra la lampe pour la retourner contre son assaillant.

— Qu'est-ce que tu fous là, espèce d'idiot?

Maxim McCormick ricana en douce tandis qu'il prenait une nouvelle photo de sa victime.

— Tu le vois bien… Je prends des photos.

Daniel éclaira la rue sombre. Le fugitif avait disparu.

— Merde! grogna-t-il.

— Et toi, Cohen, qu'est-ce que tu fais debout à une heure pareille?

Le garçon ne se donna pas la peine de répondre et continua son chemin à la recherche d'un indice. Maxim McCormick haussa les épaules. Il alluma un cigarillo et retourna à son passe-temps nocturne, laissant s'échapper un doux parfum de vanille.

Daniel arriva bientôt près de la résidence des Martin. Il approcha de la voiture du policier et éclaira le pare-brise. Comme il se penchait vers le policier toujours inconscient, un puissant coup de matraque lui percuta le derrière de la tête. Son corps vacilla et s'affala sur le bitume.

Une poigne solide l'agrippa par le bras et le traîna dans la rue.

Une masse molle et informe tomba lourdement près d'elle, puis un sec claquement de porte explosa à ses oreilles.

Recroquevillée sur le sol, Charel émergea du néant. Elle ouvrit les yeux, se sentit un peu nauséeuse. Elle ne vit rien tant l'obscurité qui baignait l'endroit était absolue. Elle tenta un geste. Son corps ne répondait plus à sa volonté. Elle se sentait emprisonnée dans un carcan. Ses poignets, attachés dans son dos, et ses chevilles, liées elles aussi, la faisaient souffrir. Un épais ruban adhésif gris recouvrait sa bouche. Elle secoua ses membres tant qu'elle put pour se défaire de ses liens; elle ne réussit qu'à se frapper la tête contre un obstacle invisible. Probablement un tuyau.

Où son agresseur l'avait-il enfermée ? Qui était-il ? Pourquoi s'en prenait-il à elle ? Que lui avait-elle fait pour mériter ce sort ?

Elle tendit l'oreille. Un faible chuintement, sur sa droite, l'intrigua. D'un mouvement de hanches, ses fesses glissèrent de côté sur le sol, et ses doigts touchèrent un liquide chaud, épais, onctueux. Du sang !

Elle voulut crier, mais le ruban adhésif l'empêcha d'exprimer l'intensité de son effroi. Après un bref mouvement de recul, Charel continua d'ausculter l'obscurité. Cette fois, ses mains rencontrèrent une forme humaine, allongée sur le sol. Elle pensa aussitôt qu'il pouvait s'agir de son père. Alors elle pivota sur ses fesses, et ses mains parcoururent le corps. Tout en se traînant sur son derrière, elle trouva un bras, le remonta, parvint à l'épaule, puis à la gorge. Elle se contorsionna à s'en faire craquer la colonne vertébrale et appuya, aussi fort que possible, l'index et le majeur de sa main droite sous le maxillaire. Sous ses doigts, elle sentit une faible pulsation. Celui qui gisait à ses côtés respirait toujours.

Ses doigts craintifs tâtèrent le visage qui, grâce à la barbe naissante de ses joues rugueuses, lui certifia qu'il s'agissait d'un homme. Elle voulut prononcer le mot *papa* ; une fois de plus, rien ne sortit de sa bouche murée.

Dehors, dans la nuit noire, les nuages qui couvraient le ciel se dégagèrent lentement, dévoilant une grosse lune pleine. Une lueur spectrale baigna la pièce. Pendant une fraction de seconde, un rayon lunaire se posa sur le visage de Daniel Cohen, inconscient à côté de son amoureuse. Une flaque de sang s'épanchait de sa tête. Puis la lune disparut encore, invitant aux crimes les plus atroces.

L'adolescente versa une larme de désespoir, puis une autre. Elle gémit en silence, priant Dieu et ses saints de les aider à sortir vivants de cette dangereuse impasse.

Il ne prêtait plus attention à ce qui l'entourait. Le parc, les arbres, les maisons, les voitures de moins en moins nombreuses à mesure que la nuit gagnait du terrain. Tout semblait émaner d'une autre dimension, d'un monde avec lequel il ne se sentait plus d'attache. Comme le néant obnubilait ses pensées, il ne s'aperçut pas tout de suite que les réverbères n'illuminaient plus les rues.

Lorsque la lune reparut enfin, lorsque le paysage nocturne se manifesta de nouveau sous ses yeux fatigués, il se redressa sur le banc et balaya le parc d'un regard inquiet. Les nuages s'amoncelaient dans le ciel. Il prit alors conscience de l'étrangeté de la situation. Même

les balises lumineuses fonctionnant avec la génératrice centrale du quartier faisaient défaut.

Robert Martin se leva. D'un pas revigoré, il
se dirigea vers la guérite principale. Il traversa
le parc, remonta la rue des Myosotis, prit
ensuite celle des Rhododendrons et arriva en
une dizaine de minutes au petit bunker qui
abritait les bureaux de la sécurité.

L'absence de lumière l'étonna. Il posa son
pouce sur l'écran tactile fiché dans le mur à
côté de l'entrée. Rien. Aucune reconnaissance
d'empreinte. Il tenta de repousser la porte. En
vain. Même avec un solide coup d'épaule, elle
ne céda pas.

— Il y a quelqu'un? cria-t-il, la bouche
contre la porte. C'est moi, Martin! Ouvrez!

Il fronça les sourcils. La situation lui sembla
fort étrange.

— Aux grands maux les grands remèdes,
maugréa-t-il, excédé.

Il contourna l'édifice carré, fit halte sous
l'étroite fenêtre de la salle de bains, grimpa sur
un des tuyaux et, d'un coup de coude, fracassa
la vitre. Il retira sa chemise, l'enroula autour de
son poing et débarrassa le cadre de la fenêtre
des tessons. Alors il se hissa jusqu'à l'étroite
ouverture et réussit, non sans quelques efforts
et égratignures, à entrer dans le bunker.

Bien qu'il ne vît rien dans l'obscurité,
l'homme savait exactement ce qu'il faisait.
C'était lui, après tout, le maître d'œuvre des

lieux. Il les connaissait par cœur. Dans la salle de bains, il ouvrit un placard et en sortit une lanterne de six volts. Il poussa le bouton-pression et un intense faisceau éclaira la pièce. Sans plus attendre, il inspecta le reste du bunker.

Les deux chaises placées devant la multitude de moniteurs éteints du poste d'observation étaient vacantes. Aucun employé n'était à son quart de travail. Il ne perdit pas de temps à comprendre pourquoi. Il se rua sur la génératrice. Les deux pieds dans une flaque sombre, il constata que le réservoir de diesel était percé. Il fronça les sourcils. Sans génératrice, il lui était impossible de rétablir la communication avec les systèmes de sécurité. Il tenta sa chance du côté du téléphone. Aucune tonalité.

— C'est quoi ce bordel ? se demanda-t-il, désarçonné.

Il tourna sur lui-même, à la recherche d'un indice pour expliquer l'état des lieux lorsque son regard tomba sur une paire de chaussures, mal camouflées, derrière la console informatique. Il la contourna et vit un de ses employés, inconscient sur le sol. Il se pencha, l'agrippa par les épaules et le secoua.

— Pat ! Pat ! Réveille-toi !

Le corps rebondit mollement entre ses mains. Il le déposa avec mille précautions par terre et fouilla ses poches. Ses doigts touchèrent un téléphone cellulaire. Il sourit de satisfaction. Il pianota le numéro personnel de Sarto

Duquette. Au bout de quelques sonneries, l'inspecteur répondit d'une voix empâtée.

— J'espère que c'est important pour me réveiller à trois heures du matin !

— Sarto ? C'est moi, Robert Martin. Je suis dans le bunker de Côté Soleil et…

À cette phrase en apparence anodine, Duquette se redressa carré dans son lit et se réveilla complètement.

— Comment ça, dans le bunker ? Et mon agent, lui ?

— Je l'ai déjoué…

Un silence d'hébétude s'ensuivit, vite interrompu par Robert Martin qui poursuivit :

— Ça va mal, ici. Il y a une panne électrique et la génératrice du système de sécurité a été sabotée. Un de mes employés a presque été envoyé *ad patres*.

— Quoi !

— T'as bien entendu.

— OK, soupira Duquette. J'arrive avec du renfort.

— Ça sert à rien, Sarto. Plus aucun résidant ne peut entrer ou sortir du quartier.

— Tu veux rire de moi ? se moqua l'inspecteur en essayant d'enfiler du mieux qu'il pouvait un t-shirt. Ton petit ghetto doré serait-il devenu une prison ?

— Je crois que ça sert à rien d'en rajouter, tu sais.

— Alors on fait quoi pour entrer?

Robert Martin entendit alors du bruit derrière lui. Il se retourna et un faisceau de lumière l'aveugla. La main en visière, il recula d'un pas.

— Qui êtes-vous? lança-t-il.

La réponse ne se fit pas attendre. Elle ne ressembla toutefois pas à celle qu'il espérait.

À l'autre bout du fil, Sarto Duquette entendit la question, suivie d'un fracas indescriptible qui faillit lui perforer le tympan. Puis la communication fut coupée. Il composa en vain le numéro du dernier appel entrant.

Robert Martin disait sans doute vrai: rien n'allait plus dans le quartier Côté Soleil.

Au fond du piège obscur où on la retenait prisonnière, Charel cherchait un moyen de s'évader. Plus elle essayait de défaire les liens qui lui enserraient les poignets, plus ils lui usaient la chair. Celui qui l'avait réduite à cet état de soumission savait y faire. Chaque fois que les nuages daignaient dévoiler la lune et que celle-ci illuminait l'espace, elle essayait de voir ce qui l'entourait. Après trois ou quatre incursions de rayons lunaires, elle aperçut l'ombre d'un escalier. Elle se mit en tête de le monter.

Avec de nombreux mouvements de bassin, elle se traîna jusqu'à la première marche. Elle se pencha d'un côté, en équilibre sur une fesse, et ramena ses pieds sous l'autre. Non sans difficulté, elle se mit à genoux. Après une courte pause, elle rassembla ses efforts et se mit debout pour ensuite s'asseoir dans l'escalier. Alors elle entreprit l'escalade, les pieds sur une marche, les fesses sur la suivante, poussant vers le bas pour se hisser vers la sortie qu'elle ne distinguait pas, mais qui était à quelques mètres au-dessus de sa tête.

Bientôt, son dos percuta une porte. Elle se releva aussi doucement que ses membres attachés le lui permettaient et, faisant face à l'escalier, saisit la poignée. Contre toute attente, la porte s'ouvrit. Charel perdit l'équilibre et vrilla sur elle-même. Si bien qu'elle alla embrasser le sol de l'entrée. Ses mains, toujours derrière son dos, ne purent amortir sa chute. Son nez percuta la céramique avec un bruit de tonnerre. Le sang coula aussitôt sur sa bouche. Ses paupières cillèrent, son esprit ramollit. Le choc résonna longtemps en elle.

Puis, quelque chose lui laboura le côté du corps. Elle ouvrit un œil et le referma aussitôt, aveuglée par le faisceau d'une puissante torche.

— T'es une petite débrouillarde, toi ! railla une voix qui provenait d'un autre monde.

Elle se retourna sur le côté et son visage se retrouva devant celui de son père, gisant inconscient à ses côtés. Elle écarquilla les yeux, voulut parler, mais rien ne sortit de sa bouche prisonnière d'un étau.

— Je t'ai amené de la compagnie, ma belle !

Celui qui tenait la torche se pencha au-dessus de son père, et elle reconnut Adrian McCormick. Alors le pire film d'horreur se déroula sous ses yeux ahuris. McCormick traîna le corps inerte de Robert Martin, torse nu, jusqu'à l'escalier de la cave et le balança sans merci dans les marches. Un vacarme terrible s'ensuivit, ébranlant le sol sous l'adolescente. Charel cria de toutes ses forces ; seul un gémissement insignifiant franchit l'épais ruban adhésif gris collé sur ses lèvres.

McCormick se retourna ensuite vers elle d'un air satisfait.

— À ton tour, maintenant.

Paniquée, l'adolescente ondula de côté pour se soustraire à l'emprise machiavélique de l'homme. Celui-ci la rattrapa avec une facilité désarmante. Elle le voyait désormais à travers l'écran de ses larmes, déformé et monstrueux, probablement tel qu'il était en réalité, tel qu'il avait toujours été, tel que personne ne pouvait l'imaginer. Il la souleva dans ses bras et l'emmena avec lui à la cave.

McCormick actionna une petite génératrice domestique et la cave s'illumina. Daniel Cohen, allongé sur le sol, ne bougeait pas. Robert Martin, suite à sa chute dans l'escalier, ressemblait désormais à un pantin désarticulé. Devant sa bouche, le pan d'une bâche de plastique se relevait légèrement. Charel y fixa son regard pour tenter d'y apercevoir un éventuel nuage de vapeur que la respiration de son père produirait. En vain.

Démolie, elle hoqueta avant d'éclater en sanglots. Son père était mort! Ce salaud de McCormick venait de le tuer! Qu'allait-il lui arriver? Qu'allait-il faire d'elle et de Daniel maintenant? Son voisin était sûrement le meurtrier de Kim Nguyen. Cela ne faisait aucun doute dans son esprit tourmenté. Pourquoi avait-il commis un acte aussi horrible? Elle ignorait le mobile qui le poussait à s'en prendre à Kim, à un agent de police et à sa famille. Il lui manquait trop de données pour que les pièces du casse-tête s'imbriquent à la perfection. Cela avait-il un lien quelconque avec… sa mère?

— Bon, c'est le moment de vérité. Tu veux savoir ce que je vais faire, hein?

Les yeux embrumés par les larmes, elle secoua vigoureusement la tête de droite à gauche.

— Tu mens! Tu *meurs* d'envie de savoir ce qui va arriver!

Le pathétique jeu de mots le fit ricaner. Charel ne pouvait s'imaginer que tout finirait bientôt, que sa jeune vie ne tenait plus qu'à un fil. Elle ne pouvait croire que tout se terminerait ainsi, de façon aussi abrupte. Elle ravala la bile amère, mélange d'anxiété, de désespoir et de frustration extrêmes, qui lui emplissait la bouche.

— C'est simple, ma belle. Je vais tous vous éliminer.

Il se retourna et tendit le bras vers une patère où un survêtement de travail était suspendu. Charel regarda autour d'elle. Elle constata que chaque centimètre de la cave était recouvert de plastique.

McCormick enfila le survêtement, protégea ses chaussures avec des sacs de poubelle et se couvrit la tête d'un bonnet. Tout en enfilant des gants de chirurgie, il avisa ses victimes. Devant l'horreur que laissait présager cette mise en scène, l'adolescente banda les muscles. Elle tenta une fois de plus de se défaire des liens qui l'entravaient. Au-dessus du ruban adhésif, ses joues s'empourprèrent. McCormick lui sourit.

— T'inquiète pas, ma belle. Je sais ce que je fais... Mon ex a elle aussi goûté à ma médecine, dans le temps.

En entendant la révélation, toutes les fibres du corps de Charel frémirent. Même son âme. Le piège se refermait. Le psychopathe irait jusqu'au bout de sa démence. Elle le savait. Elle était perdue.

— J'avais pas prévu tout ça, tu sais. Je croyais que la mort de Kim Nguyen suffirait à envoyer ton père à l'ombre pendant vingt-cinq ans. Je croyais que ta mère accepterait enfin de dire oui au bonheur que je lui proposais. Elle s'emmerdait tellement avec ton vieux. Ton père la méritait pas. J'ai jamais compris pourquoi elle ne voulait pas le quitter…

Charel écoutait en retenant sa respiration.

— J'aurais dû m'en prendre à lui dès le départ. J'aurais alors pu consoler ta mère, venir la voir ouvertement, devant tout le monde, autant de fois que je le voulais… Ça se fait entre voisins, après un décès tragique. Alors, de fil en aiguille, avec de la patience, elle aurait fini par dire oui.

McCormick s'interrompit pour chercher quelque chose.

— Maintenant, j'ai plus le choix d'aller jusqu'au bout. J'ai commis une gaffe et je dois la réparer. Mais les choses sont peut-être mieux ainsi… Toi et ton père partis, le chagrin de ta mère sera immense. Elle aura vraiment besoin d'un ami. Et je serai là pour elle. Je l'aiderai à traverser cette épreuve. Et Maxim héritera d'une mère aimante…

Le meurtrier pivota sur lui-même. Son front se plissa. Son regard chercha autour de lui quelque chose qu'il ne trouvait apparemment pas. Il grimaça.

— Merde ! maugréa-t-il. J'ai oublié le couteau en haut.

Prise de panique, Charel remua de plus belle. Ses liens lui mordaient cruellement les poignets. Elle remarqua, sous le bras droit de son père, le bout de la lame du couteau que McCormick cherchait tant.

— Bouge pas, lui dit-il avec un sourire moqueur. Je reviens.

Il monta l'escalier quatre à quatre. Grâce à de puissants coups de bassin, l'adolescente glissa jusqu'au couteau. Elle se retourna, l'empoigna aussi solidement que ses mains tremblantes le lui permettaient et ramena ses pieds sous ses fesses. Avec l'énergie du désespoir, elle se mit à limer l'épaisse corde enroulée autour de ses chevilles.

Le vent soufflait un air frisquet. La cime des arbres frémissait et bruissait. La pleine lune jouait à cache-cache dans le ciel, s'habillant de nuages pour ensuite se dévêtir et montrer son éclatante blancheur. La panne électrique durait toujours.

Ici et là, sur son passage, de petits éclairs clignotaient dans la nuit. Il regarda l'heure. Il avait assez vadrouillé. Il était temps de rentrer, question de dormir une heure ou deux avant de développer les photos qu'il venait de prendre. Maxim McCormick fuma un dernier cigarillo, réprima un bâillement, puis revint chez lui.

Non sans étonnement, il constata que la porte n'était pas verrouillée. Il sourcilla, pourtant certain de l'avoir fermée à clef. Il la repoussa avec précaution pour ne pas réveiller son père, puis mit les loquets. Ses pieds foulèrent le sol de l'entrée quand ses yeux, s'adaptant peu à peu à la pénombre, aperçurent une silhouette surgir de la salle à manger.

— Papa ? murmura-t-il, inquiet.

Il avança encore un peu et remarqua que l'homme tenait dans la main droite un énorme couteau de boucher ainsi qu'une lampe torche dans la gauche. Son accoutrement l'étonna.

— Tu rentres de bonne heure, cette nuit, fiston, constata Adrian avec un certain embarras. La chasse a été bonne ?

— Qu'est-ce que tu fais habillé comme ça ?

— Je suis en train de réparer quelque chose, en bas. Rien de grave. Seulement une petite fuite d'huile. Va te coucher. Il est tard.

Par la porte entrebâillée de la cave, un étrange bruit de froissement attira son attention. Adrian McCormick fit un pas vers la porte et la referma.

— Quelque chose a dû glisser, dit-il en guise d'excuse.

Alors les marches de bois de l'escalier craquèrent. Maxim cilla de plus belle.

— C'est quoi, ça ?

— C'est rien, affirma son père avec un début d'impatience dans la voix. Va te coucher, maintenant.

Le garçon toisa son père avec méfiance. Alors la porte s'entrouvrit très lentement. Adrian McCormick sursauta. Le faisceau de sa lampe de poche captura le visage méconnaissable de Charel. Son regard humide lança un ultime appel à l'aide à son jeune voisin. Sous l'épais ruban adhésif maculé du sang qui s'écoulait toujours de son nez épaté, sa bouche condamnée gémissait. Maxim remarqua qu'elle avait les poings liés dans le dos.

Sans le soupçonner, le jeune McCormick partageait au moins deux choses avec Robert Martin : les deux croyaient tout savoir de leur communauté et les deux se trompaient.

Néanmoins, il ne mit pas longtemps à comprendre ce qui était en train de se dérouler à son insu. Il dévisagea son père en secouant la tête.

— Toi ? souffla-t-il, ahuri. C'était donc toi…

— C'est pas ce que tu crois, Max.

Le garçon recula, se retourna et fonça vers la porte qu'il débarrassa de ses loquets. Adrian lâcha la torche qui roula sur le sol. En quelques enjambées, il rattrapa son fils.

— Attends, Max. Je vais tout t'expliquer.

— Laisse-moi tranquille !

Il tenta de sortir de la maison, mais Adrian lui agrippa solidement le bras. Dans un élan magistral, il le propulsa à travers le hall. Le garçon glissa sur le sol, aux pieds de Charel, qui n'osait bouger. Après un moment d'effarement, son jeune voisin se redressa et s'élança dans le salon. Là, il empoigna le tisonnier qui reposait sur son support et, comme un escrimeur, mit son père en joue.

— T'approche pas ! hurla-t-il, la voix brisée.

Charel abandonna les deux hommes à leur propre destin. Elle se précipita vers la porte qu'elle ouvrit. Dès qu'elle la franchit, un bruit assourdissant envahit ses oreilles et une puissante colonne d'air fouetta sa chevelure. Elle releva la tête. Contre toute attente, elle aperçut un hélicoptère du service de police de la Cité qui survolait le secteur à basse altitude. Les projecteurs de l'appareil balayèrent la rue et s'arrêtèrent sur elle tandis que les voisins, alertés et intrigués par le remue-ménage nocturne, apparaissaient en pyjama ou en robe de chambre devant les maisons.

Vêtu d'une combinaison noire de l'escouade tactique, l'inspecteur Duquette glissa le long d'un câble et atterrit à quelques pas de Charel. Il se débarrassa du harnais et récupéra l'adolescente qui s'évanouit dans ses bras. Autour d'eux, les tireurs d'élite tombèrent du ciel, puis se déployèrent pour cerner la maison des McCormick. L'hélicoptère s'éloigna du périmètre.

Les résidants de Côté Soleil et les policiers entendirent alors les cris haineux que lançait McCormick fils à son père. Puis, un silence effrayant envahit le quartier. Un silence qui glaça d'effroi l'assistance improvisée. Alors une longue et douloureuse plainte déchira la nuit.

Dans le salon de la villa cernée, Adrian McCormick, aspergé du sang de sa descendance, se lamentait à s'en fendre l'âme.

17

LA TERREUR INTÉRIEURE

Juin...

Elle errait dans la maison, le cheveu en bataille, vêtue de son pyjama trop grand pour elle et de ses pantoufles ornées de têtes de lapin. Son regard triste se posait sur les objets sans les voir, sans qu'ils éveillent quoi que ce soit en elle. Depuis des semaines, un bouclier invisible s'était levé entre elle et le reste du monde. Elle ne mangeait presque plus, ne sortait plus, ne travaillait plus. Elle ne faisait que ressasser le mal qu'elle croyait avoir provoqué. Ses tourments avaient labouré les ridules qui commençaient à parsemer le pourtour de ses yeux et de sa bouche pour les accentuer et leur donner un caractère indélébile, irréversible. Son regard s'embrumait à tout moment. Ses mains tremblaient lorsqu'elle repoussait une mèche de cheveux derrière son oreille.

Elle dormait peu, refusant de prendre des barbituriques pour lui ramollir l'esprit. Non, il n'était pas question d'oublier, de vouloir oublier, d'essayer d'oublier. Éva Martin s'en voulait trop. Elle voulait vivre lucidement sa souffrance morale. C'était la seule chose qui lui restait, la seule qu'elle pouvait encore offrir à la mémoire de son mari qu'elle avait tué par mains interposées. Elle restait souvent éveillée jusqu'aux petites heures du matin. Alors, les cauchemars s'insinuaient dans son refuge et la hantise se poursuivait, sans répit.

Comment n'avait-elle pas vu, pas su déchiffrer les indices de la folie latente d'Adrian McCormick ? Comment un homme qu'elle avait jugé parfait avait pu dissimuler un être aussi immonde ? Comment s'était-elle amourachée d'un meurtrier ? Elle ne savait plus que penser d'elle, ni de son jugement. Pourrait-elle encore faire confiance ? Elle en doutait. L'amour, c'était fini pour elle ! Elle ne voulait plus rien savoir de ses jeux terribles qui, sous des dehors anodins, portaient en eux l'intention secrète d'empaler les cœurs pour ensuite les carboniser. Oui, tout ça n'existait désormais plus pour elle. Sans les enfants qui espéraient le moment où elle émergerait enfin, elle n'aurait pas hésité une minute à se retirer du monde, à couper les ponts avec tout ce qui lui rappelait son ancienne vie.

Puis, un matin, alors que les oiseaux piaillaient joyeusement à sa fenêtre, quelque chose en elle se ranima. Quelque chose comme l'espoir, comme l'indulgence et le pardon, aussi. Alors elle se débarrassa de son pyjama et de ses pantoufles pour enfiler une jupe droite et un tricot léger, à manches courtes. Elle brossa ses cheveux et les remonta en un chignon lâche.

Un peu de maquillage? Non. Elle ne voulait plus sauver les apparences. Elle savait que la guérison ne viendrait qu'avec les années. Elle savait aussi qu'il resterait toujours une cicatrice.

Elle appela ses enfants, qui la rejoignirent dans sa chambre. Ils la trouvèrent dans l'immense garde-robe, en train d'enlever des cintres les vêtements de leur père.

— Qu'est-ce que tu fais? s'enquit Benjamin, les yeux pleins d'eau.

Le garçon aussi se sentait horriblement coupable des événements qui avaient marqué de façon indélébile leur vie de famille. Certes, il en avait voulu à son père de ne pas avoir été aussi présent qu'il le souhaitait, de l'avoir négligé, de ne pas lui avoir témoigné toute l'affection qu'un enfant peut attendre. Le retour en arrière se montrait désormais impossible. Jamais son père ne lui dirait qu'il l'aimait, jamais il n'assisterait à une de ses parties de soccer, jamais ils ne prendraient une bière ensemble, un soir d'été, sur le bord d'un lac. Il avait voulu que son père paie pour ses erreurs, pour ses manquements. Il n'avait cependant jamais souhaité sa mort. En définitive, il avait tout gâché. À jouer avec le feu, il avait fini par se brûler l'âme.

— Je trie les affaires de votre père. Y a-t-il des choses que vous aimeriez garder?

Charel eut envie de répondre *tout*. Elle se contenta plutôt de baisser la tête. Quant à son frère, il opta pour un veston de laine qu'il enfila et qu'il ne quitta plus. Éva soupira. Elle s'accroupit pour ramasser un sac et ses épaules se voûtèrent. Elle se mit à hoqueter. Les larmes qui constamment embrumaient son regard mouillèrent ses joues exsangues. Alors, d'une main toujours tremblante, elle enfouit les vêtements dans le sac. Sa fille aînée l'aida.

— Je ne pourrai plus vivre ici, tu sais, souffla la femme lorsque la section de son époux fut vidée. Il faut vendre et s'en aller. Le plus vite possible. J'ai pensé qu'on pourrait refaire notre vie ailleurs. Ta tante Lina sera heureuse de nous accueillir pour quelques semaines, en attendant.

L'annonce déconcerta l'adolescente.

— Chez tante Lina ? Mais je veux pas aller vivre là-bas !

Éva toucha le bras de sa fille. Celle-ci se déroba en reculant d'un pas.

— On ne peut pas rester ici, ma Chachou. Pas dans cette maison qui a connu tant de malheurs depuis les derniers mois, pas dans ce quartier que ton père a presque aimé plus que nous, pas à côté de la maison qui a abrité son assassin. Je n'en serai pas capable.

Charel la dévisagea pendant un long moment. Elle faillit rétorquer à sa mère qu'elle méritait de subir un tel calvaire; encore une fois, elle ne dit rien. Elle se retira en vitesse.

Dans le parc désert, pelotonnés en silence l'un contre l'autre, ils se raccrochaient à ce qui comptait le plus pour eux : leur amour. Charel, arborant un petit pansement sur son nez cassé, ne pouvait imaginer quitter le quartier, quitter la Cité, quitter Daniel. C'était au-dessus de ses forces. Elle ne pouvait se résoudre à une simple correspondance amoureuse qui s'étiolerait avec les affres du temps.

Elle releva le menton vers Daniel. Ses doigts tambourinèrent sur l'étui de plâtre qui enveloppait le bras gauche du garçon. Quelques ecchymoses marquaient encore son visage. Mais il était toujours beau.

— Je t'aime.

Daniel se crispa malgré lui. Il se redressa un peu et porta son regard vers la haie. Il renifla.

— Qu'est-ce qu'il y a ? demanda-t-elle, inquiète de ne pas entendre la réponse magique qui devait faire écho à son amour.

Le garçon ferma les yeux. L'image floue de son père revit un instant derrière ses paupières closes.

Cela ne pouvait durer plus longtemps. Il ne pouvait plus vivre avec un aussi lourd fardeau.

Il devait dire la vérité. Toute crue, sans fard. Celle qu'il avait essayé de cacher pendant plusieurs mois, celle qui revenait le hanter chaque nuit, celle qui exigeait réparation. Il devait révéler sa vérité à lui. Il frémit. Jamais il n'avait été aussi près de la dire. Les mots se bousculaient dans sa tête. Ses lèvres tremblantes n'arrivaient pas à choisir ceux qu'il fallait prononcer.

— Tu peux pas m'aimer, Charel... parce que je suis pas aimable.

— Qu'est-ce que tu racontes ? fit la jeune fille en lui donnant une petite tape sur le bras.

— Je t'ai pas dit toute la vérité au sujet de l'accident de mon père.

Charel se dégagea pour mieux observer les traits de son amoureux. Il fuyait son regard et gardait le silence, ce qui alarma l'adolescente.

— Mais parle, bon sang ! s'offusqua-t-elle. Qu'est-ce que tu m'as pas dit ?

Daniel se leva. Il s'éloigna de quelques pas du banc, puis pivota vivement pour refaire face à sa petite amie. Le temps était venu de répondre de ses actes. Il ne pouvait plus vivre dans le mensonge. Il ne voulait plus que l'hypocrisie noircisse chaque jour de sa vie. Il désirait s'affranchir une fois pour toutes.

Les mots sortirent enfin de la bouche de Daniel. Des mots difficiles. Des mots qui ravivaient d'anciennes craintes. Des mots qui se révélaient pires que les suppositions de feu Maxim McCormick.

— Je connais les malfaiteurs qui ont blessé mon père. Ils étaient mes amis…

Charel se malaxa les mains avec vigueur. Un voile sombre tomba sur ses yeux. Son corps recula d'un centimètre.

— Je suis un salaud, Charel. J'en voulais à mon père parce qu'il m'avait privé d'argent de poche. Comme il venait d'acheter plusieurs gadgets électroniques dernier cri, je m'étais dit que les assurances le dédommageraient si jamais il y avait un vol. Mes amis m'ont dit qu'ils étaient prêts à me rendre service. Je leur ai jamais donné le feu vert, mais l'idée de commettre un crime, de faire du recel, de gagner de l'argent… Ça les a fait saliver…

L'adolescente, tout ouïe, déglutit la bile amère qui remonta soudainement dans sa bouche.

— Alors ils l'ont fait, sans me prévenir. Et ça a mal tourné. Mon père a sorti une arme et mes amis, se sentant pris au piège, ont riposté. Je les ai jamais dénoncés. Je me suis jamais dénoncé, Charel…

Il s'interrompit. Il piétina l'herbe en se dandinant légèrement.

— J'aide tout le monde, tu sais, sanglota-t-il. Sans rien demander en retour. C'est la seule façon que j'ai trouvée de demander pardon à la vie. Parce que demander pardon à mon père, c'est trop tard, tu vois. Mais je dois payer. Je dois ça à mon père, tu comprends? C'est pour ça que tu peux pas m'aimer. Je te mérite pas. Je mérite l'amour de personne. Je vais aller tout avouer à la police. J'ai trop attendu. Je peux plus vivre avec ça sur la conscience. Ça me ronge trop. Et c'est pour ça que moi, je peux pas t'aimer comme il faut.

Les cartes du monde de Charel s'écroulaient les unes après les autres, en différé. Sa vie foutait le camp pour de bon, comme un château fragile. Tout ce qu'elle essayait de retenir glissait entre ses doigts. Le mal qu'elle s'efforçait d'oublier revenait sans cesse à elle et compromettait la destinée qu'elle tentait en vain de se construire. Daniel ne pouvait pas disparaître de sa vie. Il ne pouvait pas aller croupir dans un centre pour délinquants. Il avait changé. Il était devenu meilleur. Elle le savait. Cela seul comptait à ses yeux. Elle se leva et lui prit les mains.

— Je veux pas que tu fasses ça, Daniel. Tu m'entends? Je te l'interdis! Je veux pas que tu ailles à la police…

Charel voulait plus qu'un souvenir pour la tenir au chaud. Elle le voulait tout entier auprès d'elle. Pour toujours. Elle avait furieusement besoin d'aimer et de se sentir aimée.

— Je dirai jamais rien, souffla-t-elle. Je te le jure. Sur l'amour que je ressens pour toi…

Il lui sourit et la prit dans ses bras. Il la berça pendant un long moment. Cette immense preuve d'amour mit un peu de baume sur son cœur écorché vif. Et Charel crut que tout avait été dit, que tout était réglé, que plus jamais ce terrible sujet de conversation ne se faufilerait entre eux, entre leur soif de bonheur. Il lui baisa le front et se dégagea.

— Je t'aimerai toujours, mon amour, affirma-t-il, ému. Mais on peut pas faire ça.

— Oui, on le peut! insista Charel, la mâchoire crispée.

L'adolescente lui lança un regard éperdu. Elle secoua la tête de gauche à droite. Lui aussi, il lui échappait. Elle ne voyait pas qu'en voulant le protéger, lui, son amour, elle compromettait l'idée de justice sociale.

— Je dois répondre de mes actes, ajouta Daniel. Car ce monde-là peut pas exister… même si j'y ai contribué…

Il l'embrassa une dernière fois, puis tourna les talons et disparut dans la brume des larmes qui affluaient.

L'adolescente resta un long moment seule dans le parc. Elle regardait sans le voir le défilé des voitures qui circulaient dans les rues limitrophes. Le ciel gris se mit à déverser un crachin agaçant. Mais elle ne sentait plus rien. Comme si son corps ne lui appartenait plus. Comme si toute émotion ne l'atteignait plus. Elle se laissa retomber sur le banc, sans se soucier qu'il fût détrempé. Tout lui était désormais égal. Tout. Un jour, elle comprendrait qu'amour et dépendance affective sont deux choses fort différentes. Mais ce jour-là n'était pas encore venu.

Querida *Charel*,

Voici enfin la lettre que tu devais attendre depuis quelque temps déjà. J'imagine que tu pensais que je t'avais oubliée... Il n'en est rien.

Nous sommes de retour dans le minuscule village natal de ma mère. C'est petit, assez sale parce qu'il y a tellement de poussière, et très pauvre. Il n'y a pas beaucoup de services. Malgré tout, les gens sont très sympathiques et chaleureux. Pour eux, nous sommes une sorte de déserteurs qui rentrent au bercail. Ils ne savent pas vraiment ce qui nous est arrivé. C'est sans doute mieux ainsi.

Nous essayons de refaire notre vie. Mamá donne des cours d'anglais et de français dans une école d'Aguascalientes. Mes sœurs, mes frères et moi poursuivons nos études et travaillons pour l'aider à joindre les deux bouts. C'est très difficile, mais nous nous débrouillons.

Quant à Papá, tu as dû l'apprendre dans les journaux. Son procès va débuter dans quelques mois. Malgré ce qu'il a fait, il me manque beaucoup.

J'ai appris pour ton père. Ma famille te transmet ses condoléances. Tu es dans nos pensées. Je ne sais pas quels sont tes plans pour l'été, si tu vas toujours sur la Côte d'Azur en compagnie de Christine. Moi, je n'irai pas au Guatemala. Sache que tu es la bienvenue parmi nous. Ça nous ferait vraiment plaisir de te revoir et de te recevoir. Moi, surtout. Et puis, changer d'air fait du bien. Notre petite maison t'est grande ouverte…

Un abrazo fuerte. ¡Hasta pronto! Tu amiga,

Rosa

Charel marchait d'un pas incertain. Sur le terrain du Grand Collège d'études internationales, les autres élèves déambulaient autour d'elle. Le regard absent, elle ne leur prêtait guère attention. Elle n'entendait pas le bourdonnement incessant de leurs jacassements. Elle les avait relégués à une autre dimension.

Christine Lambert la salua et s'approcha. Elle lui parla de leur prochain séjour en France, mais aucun mot ne sortit de la bouche de sa camarade. Elle se contenta de baisser la tête, de regarder le bout de ses souliers. Le cuir du droit portait une petite tache sur le dessus. Elle l'avait sans doute éraflé sans s'en rendre compte. Elle haussa les épaules. Elle s'en foutait. Il y avait des choses bien pires que celle-là dans la vie.

Sans un salut, sans un regard, sans une quelconque marque d'amitié, elle s'éloigna, laissant Christine en plan. Celle-ci fit la moue. Après un soupir, elle se dit que leur voyage ensemble n'aurait pas lieu. Charel était ailleurs, dans un autre monde, dans celui du deuil. D'un double deuil. D'abord de son père, ensuite de son petit ami. Elle ne pouvait rien brusquer, rien exiger. Elle n'était pas égoïste à ce point-là. Alors tant pis. Elle irait seule. Et elle se ferait sans doute de nouveaux amis. Naviguant sur la même longueur d'onde.

Charel s'arrêta près d'un des grands ormes plantés sur le terrain du collège. Elle glissa le long du tronc et s'assit par terre. Elle replia ses genoux sous son menton, enveloppa ses jambes de ses bras. Ses cheveux voletaient doucement au vent. Ses lèvres remuaient un peu, au rythme de ses pensées chaotiques. Son regard se posa sur l'herbe, espérant peut-être trouver un soulagement à ses maux.

Elle remarqua, à travers les pousses vertes, un léger renflement de sable. Le sommet, percé d'un minuscule puits, accueillait une multitude de fourmis qui défilaient l'une derrière l'autre. Des milliers d'insectes organisés en colonies hiérarchisées, indifférentes au genre humain mais ô combien destructrices! L'adolescente s'imagina alors le réseau inextricable de galeries souterraines que les fourmis avaient soigneusement élaborées. Des galeries tantôt longues ou courtes, étroites ou larges, ascendantes ou descendantes. Et sombres, aussi. Comme le néant, l'abandon, la mort. Soudain, elle eut envie d'y plonger, d'y disparaître pour toujours.

La cloche annonçant la reprise des examens de fin d'année retentit dans le ciel. Après un moment de déception, les élèves se dirigèrent vers l'entrée. Charel, assise sous l'épais feuillage de l'orme, ne broncha pas.

Deux pieds apparurent devant les siens. Elle grimaça et releva la tête. L'espace d'une fraction de seconde, elle crut voir, sorti d'un rêve merveilleux, Daniel Cohen lui sourire. Son cœur s'emballa ; le mirage se dissipa et elle sourcilla. Un jeune enseignant en stage lui tendit la main.

— Tu viens ? On va être en retard.

— Ça m'est égal.

Elle n'avait plus le goût de rien. De l'école, de la famille, des amis, de la société. Elle se sentait handicapée, inapte à la vie. Tout lui semblait futile, sans valeur, sans utilité. Désormais, il y aurait toujours un petit doute, une légère suspicion qui rendrait son cœur méfiant. Elle venait de s'aventurer en des eaux troubles, qui lui avaient révélé un monde de cruelles réalités. Rien ne serait plus jamais comme avant. Le temps des illusions naïves était désormais révolu ; il venait de laisser place à la terreur intérieure. Intra-muros… Cela lui prendrait du temps, beaucoup de temps, pour se laisser de nouveau aller à la confiance, à la nonchalance, à l'espoir, à la joie de vivre.

Elle ferma les yeux, se replia un peu plus sur elle-même et se concentra sur sa respiration. Peu à peu, celle-ci ralentit. Elle la percevait à peine. *Avec un peu de chance*, pensa-t-elle, *elle va s'arrêter complètement. Et avec elle mes tourments.*

Anita Cohen se préparait à sortir les chiens. Elle enfouit un sac de plastique au fond de la poche de sa veste de laine. Vincent et Arielle attendaient sagement qu'elle leur passe la laisse autour du cou. Mais le va-et-vient incessant de leurs queues trahissait la joie qu'ils ressentaient à se délier les pattes. Car depuis quelque temps, les sorties se faisaient moins nombreuses et plus courtes.

La vieille dame mettait la main sur la poignée lorsque son époux la héla :

— Tu veux que je t'accompagne ?

Elle hésita une fraction de seconde, puis secoua la tête.

— Certaine ? insista Josef.

— J'ai tout ce qu'il faut, répondit-elle en tapotant sa poche droite. À tout à l'heure!

— Ne traîne pas.

Elle lui lança un bref sourire avant de sortir, précédée des deux lévriers afghans.

La soirée était belle. Une multitude d'étoiles piquait la voûte céleste et la lune brillait à travers les arbres les plus hauts de la rue tranquille.

Plusieurs résidants avaient mis leur maison en vente et étaient partis. Le prix, fortement déprécié, attira une vague de nouveaux petits-bourgeois qui n'auraient jamais pu se permettre, quelques mois plus tôt, d'emménager là. Quant à ceux qui voulaient protéger malgré tout leur investissement, ils ne se promenaient plus autant le soir. Devenus méfiants, ils préféraient se barricader dans leur grande villa et essayaient de se mettre à l'abri de la folie des autres.

Tandis qu'elle arpentait les trottoirs jusqu'au parc, Anita Cohen balaya d'un regard nerveux l'espace autour d'elle, à la recherche de quelque chose d'anormal qui aurait pu présager un autre désastre. Un malheur ne vient jamais seul, c'est bien connu.

Elle tâta sa poche et esquissa un sourire imperceptible. *On ne peut se fier à personne,* pensa-t-elle une fois de plus. *Pas même aux membres de sa propre famille.*

Pourquoi avait-on le privilège de choisir ses amis, et pas sa parenté? Pourquoi pas le contraire, hein? La famille ne devrait-elle pas être plus importante que tout? Ne devrait-elle pas primer sur les autres sphères de la vie? Après tout, il s'agissait là du premier noyau social des individus. Pourquoi les hommes et les femmes s'efforçaient-ils de faire souffrir ceux qu'ils étaient censés aimer le plus au monde? La vieille femme haussa les épaules. Personne ne respectait plus rien. Tout foutait le camp, tout allait à la débandade...

Derrière elle, des pas firent bruisser les gravillons du sentier. Trop près d'elle à son goût. Elle se crispa, et Vincent aboya. La main ridée de la vieille femme, un peu tremblante, glissa aussitôt dans sa poche droite et saisit l'objet qui s'y trouvait. Elle le sortit lentement et le garda un instant le long de sa cuisse. Elle fit volte-face puis tendit devant elle le pistolet à impulsion électrique en hurlant.

Abasourdi, son époux fit un pas en arrière en mettant son poing sur son cœur.

— Bon sang, Anita! C'est moi!

— Josef?

Elle cligna des yeux et le reconnut enfin.

— Tu m'as fait une de ces peurs, vieil imbécile! Ne recommence jamais plus!

— Ça ne me rassurait pas de te voir sortir seule, le soir..., souffla-t-il, encore sous le choc. Tu aurais pu me tuer...

Anita esquissa un petit sourire.

— N'exagère pas. C'est seulement une petite décharge électrique…

Petite? C'est bien ce que sa femme, en toute naïveté, croyait. Mais Josef Cohen ne lui aurait jamais acheté un joujou inoffensif. La situation, depuis les derniers mois, exigeait quelque chose d'autrement plus costaud.

La vieille dame enfourna l'arme dans sa poche et, en compagnie de son mari, poursuivit la promenade nocturne. Tout en marchant, elle sentit le Taser rebondir légèrement contre elle et cela la rassura. Il n'y avait pas de risques à courir. Pas même dans les ghettos dorés.

TABLE DES MATIÈRES

Les titres de la collection Atout